ダルビッシュ有の

変化球バイブル

YU DARVISH

週刊ベースボール／編

ベースボール・マガジン社

TEXAS
22

まえがきにかえて

～ノーラン・ライアンからダルビッシュ有へ～

Nolan Ryan

Nolan Ryan
まえがきにかえて
〜ノーラン・ライアンからダルビッシュ有へ〜

有はルーキーイヤーの苦しみも味わった1年間を経験したことで、かなりメジャー・リーグに順応できたのではないだろうか。彼は2年目の2013年、日本時代と同じように自信を持って投げることができた。それはリーグの特徴や各球団の打者を知り自分なりにイメージを持てるようになったことが大きいだろう。選手は皆、自分の持っている力をいかに発揮するかが重要で1年目に学んだ経験を着実に生かせている。だからレベルの高いア・リーグでも打者を圧倒できた。

メジャー入りした当初、実は開幕前からいろいろな人に彼への期待度を聞かれたよ。けれどその度に「1年目は環境に馴染み、リーグ、相手を知ることが先決だ。順応しないといけない年に評価を下すのはフェアじゃない」と私は言い続けてきた。環境に慣れることはどんな選手でも難しく、時間がかかる。そんな状況下で過度な期待だけはかけたくなかった。当時から彼が実力を完全に発揮できるのは最低でも1年、メジャーの野球を経験し、学んでからだと思っていた。

それでも有の1年目の注目度は想像以上に高かった。メジャー・リーグ機構や他球団を含めたリーグ全体が、彼が果たしてどれだけメジャーで活躍できるのか純粋に知りたかったのだろう。日本でトップレベルだった有が、いかにメジャーの環境に適応し、移籍1年目だけでなく2年目も継続して力を発揮できるか、という点を興味深く見ていた。

メジャーにはこれまで多くの日本人選手が挑戦してきた。1年目から結果を残した選手も中にはいるが、どちらかと言えば2年目になると調子を崩したり、成績を落としているケースが多いと思う。有が決定的に違うのは他の選手が苦しむ傾向にある2年目でも、ずば抜けた安定感を誇っていること。それも開幕からずっとね。球界に携わっている人はその活躍を見て、あらためて有が本物だという事実を認識したと思う。そして彼がリーグ屈指の投手であるということもね。

有は今、リーグ屈指のパワーピッチャーと肩を並べる位置にいる。私のいうパワーピッチャーとは、タイガースのバーランダーであり、レイズのプライス……。速球でも目的によって球速差をつけられる投手を指している。彼らに共通しているのは１４５～１５６キロの幅で球速を自在に変えて投げられることだ。私は現役時代、常に目いっぱいの力で投げていた。有は速球で緩急をつけるという、とてもすごいことをしているのだ。

体型については理想的な状態にいるのではないかと思う。野球選手は一般的に体が成熟し、脂が乗ると言われるのは27、28歳。彼はすごくよくトレーニングもしているし、いい体型を維持できていると思う。強いて心配な点を挙げるならば、今後、年を取ったときにどう感じるようになっていくかだ。今以上に体重をつけたら、重く感じるかもしれないからね。

彼が今後メジャーでもっと活躍するために必要と思うのは、常にリーグの変化を察知し対応していくことだろう。私に言われるまでもなく彼はずっとやってきているが、向上心を持ち続け、どうしたら今以上にうまく

Nolan Ryan

まえがきにかえて

~ノーラン・ライアンからダルビッシュ有へ~

なれるのか、レベルを上げられるかを意識してほしい。技術的な点は特に言うことはないかな。

あえて具体的な注文をするとしたら速球系の制球力だ。彼の登板を見て感じるのが、打者を(2ストライクに)打ち取れる状況に追い込んでおきながら、決めきれないシーンが時々見受けられる。中でも目につくのが速球の制球ミスで仕留めるチャンスを逃すところだ。もし今後、彼が速球の制球ミスを減らすことができれば、彼のピッチングを大きく助けることになるだろう。試合全体の球数が減り、自身が勝利投手になる可能性が高まるからだ。確かに自分の勝敗は運にも左右されるが、長い間マウンドにいればそれだけ勝利投手の権利を手にできる。また、ミスの確率が減ることはチームにとっても大きい。彼が1つでも多くアウトをとれば、救援陣の負担は軽減される。今後は救援陣にあまり頼らずに勝利する形もぜひ増やしていってほしい。

ときどき有と私の共通点を聞かれるのだが、正直あまり見つからないかな(笑)。2人ともスタイルの違う投手だからね。彼が豊富な球種を操るのに対して、自分は変化球といえばカーブを多用した。キャリアの終盤にチェンジアップを多く投げるように取り入れたが、全体的に比較すれば、自分の方がかなり多くの割合で直球を投げていただろう。

ただ、手(のひら)が大きくない部類ということは一緒。でも手の大きさは速球を投げることとあまり関係しない。ボールの持ち方はその投手によって違うし、有にもボールの握り方を見せてもらったが、彼は指先で握るタイプだ。私は隙間をつくることなく、手のひらの奥までくっつけて握り、ボールを投げていた。彼は指先の感覚が鋭いのだろう。

直球と言えば、2013年、彼が「自分は変化球投手」と発言したことがアメリカのメディア内で大変話題になった。メディアの言い分は「変化球を投げすぎて直球の割合が少ない。もっと直球を投げるべきだ」と。理解しないといけないのは、有はとてもユニークな投手ということだ。アメリカでは直球が投球の基本という考えが根底にある。特に彼のようなパワーピッチャーは直球が主体だからね。ただ、有の場合は違う。彼は直球をあまり使わなくても試合をつくることが可能で、直球主体の時だけでなく、変化球主体の配球でも打者を十分に圧倒できる。それに私が見て分析した限りだが、彼は勝負どころでは変化球の方が自信を持って投げられているようにも見える。私的には論争という表現は不適切だと思うのだが、考え方や意見の違いが騒ぎに発展してしまったのは確かだ。

有は、これからレンジャーズの先発の柱として長く活躍してくれると信じている。サイヤング賞を獲得するには、運も含めてすべての要素がそろわないと受賞できない。だが、彼はそれだけの素質と可能性を兼ね備えている投手なのは誰もが認めるところだろう。

協力／北海道日本ハムファイターズ、Fedal Management、
エイベックス・マネジメント株式会社
デザイン／黄川田洋志、井上菜奈美、田中ひさえ（ライトハウス）
イラスト／橘田幸雄
写真／ＢＢＭ写真部、ＡＰ

CONTENTS

part 1

Yu Darvish

Premium Interview

ダルビッシュ有 #11

Prologue

奥深き“魔球”の世界へ 禁断の扉がいま開かれる——

世界を席巻するニッポンが生んだスーパー右腕・ダルビッシュ有。
メジャーの並み居る打者さえも圧倒するMAX159キロの剛速球に加え、
数十種にも及ぶ多彩な変化球を駆使するピッチングは
年を追うごとにすごみを増している。
そんな彼がすべての野球人に捧ぐ『変化球バイブル』。
球界では異例とも言える全盛期のトッププレーヤーの実演による
技術解説は未来への大きなプレゼントとなろう。
その禁断の扉を開く前に、まずは自身の変化球との出合いや習得方法、
奥深き変化球の魅力を存分に語ってもらった。
さあ、深遠なる魔球の世界へ。

試合で空振りが取れるようになってきてから野球がどんどん面白くなってきた

この本で身につけた技術と知識でいつかは夢の舞台へ

――まずは本書を作るにあたり、ダルビッシュ選手ご自身が一番伝えたいことはなんですか。

ダルビッシュ　投げていて、ボールがさまざまな変化をするのが楽しい。その面白さを読者の皆さんにも分かってほしいですし、それをこの『変化球バイブル』で伝えたいと思っています。それこそ少年野球や高校野球をやられている方とか、この本で身に付けた変化球を駆使して活躍し、いつかはプロ野球やメジャー・リーグの舞台に来てほしいなと思いますね。

――すごく夢のあるお話ですし、この本がその手助けとなれば素晴らしいことです。

ダルビッシュ　本当にそうですね。それは僕の願いでもあり、たとえプロまで来られなくても、いま所属しているチームで変化球を使って、試合で役立ててほしいです。「ダルビッシュ式の変化球」を覚えてチームが勝てたとか、試合で三振がたくさん取れたといった報告をたくさん聞ける日を楽しみにしています。

――本書では全10球種・12種類にも及ぶ変化球をレクチャーしていただきましたが、そもそもご自身は変化球をどうやって覚えたのでしょうか。人に教えてもらったり、本で研究したりとかですか。

ダルビッシュ　いや、そういうことはしなかったですね。ほとんどの変化球は自分で考えて自然に投げられるようになりました。ボールをどう回転させればどっちに曲がるとか、大体のことは分かるじゃないですか。だったら、どこの縫い目に指を掛けるのが一番回転を掛けやすいかなという感じでずっとやってきました。

――この本でも原寸大の右手の写真を掲載しましたが、体の大きさの割にそんなに手は大きくはないですよね。

ダルビッシュ　そうですね。全然大きくないですし、むしろ手

Premium Interview
Yu Darvish

ブルペンで投げ込みを行う東北高時代のダルビッシュ。当時から数多くの変化球を自在に操っていた

が小さくても変化球は投げられるってことが分かっていただけるんじゃないですか。だから何よりも投げることを楽しむことが一番大切というか、常に遊び心を忘れずに投げてほしいと思います。僕は高校時代もそうですが、プロ初登板のときからマウンドで遊んでいるような感覚でしたから。

——変化球習得の秘訣はとにかく投げることを楽しむことだと。

ダルビッシュ　はい。僕自身も中学で硬式野球を始めたころは野球そのものが正直好きじゃなかった。でも自分で試行錯誤しながら変化球を覚えて、試合で空振りが取れるようになってきてから野球がどんどん面白くなってきたんですよね。だから変化球習得の秘訣は、とにかく自分自身がエンジョイすることがポイントだと思います。

——ちなみにそのころはどんな変化球を投げていたんですか。

ダルビッシュ　試合ではカーブ、スライダー、シュート、シンカー……ぐらいですかね。練習や遊びではナックルとかも投げていましたけど。

——これからこの本を読んで変化球を覚えたいと思っている人は、どの球種からチャレンジした方がいいと思いますか。

ダルビッシュ　僕の場合はストレートから入って、そこからカーブ、スライダーを覚えていったのですが、それは自分が投

Premium Interview
Yu Darvish

第２回ＷＢＣでもキレ味鋭い変化球を駆使して抜群の存在感を示したダルビッシュ。韓国との決勝戦でも胴上げ投手として日本代表を大会２連覇に導いた

げたいと思う球種から覚えていくのが一番だと思います。いまの自分には何の変化球が必要なのか考えた上で、どんどん挑戦していってもらいたいですね。ちなみに具体的な投げ方や詳しいポイントについては、この後の球種ごとの誌上レッスンを参考にしていただければと思います！

――変化球の習得方法、トレーニング法などで読者の方に何かアドバイスを送るなら？

ダルビッシュ　僕も最初からピッチャーじゃなくて、小学生のときにはキャッチャーもやっていました。それで中学に入学してからも上級生にたくさん良いピッチャーがいたので最初のころは外野やファーストをよく守っていました。でも僕自身はピッチャーがやりたくてしょうがなかった。そのときにコーチから「良いピッチャーはみんなベッドやソファーで寝ながらボールをポーン、ポーンと上にヒジや手首を使って投げる練習をしている」と言われてから僕もいつしかやるようになったんです。それがいい練習になったというか、ボールの感覚であったり……投げる感覚、曲げる感覚を養うことができたのかなと思っています。あとは、やっぱり情熱ですよね。上達には「自分は変化球を投げられるようになりたいんだ」という気持ちを持つことが絶対に必要。僕自身も「この変化球を覚えたい」と

他の追随を許さない圧倒的な力で北海道日本ハム不動のエースとしてNPBでは通算93勝（38敗）をマーク。通算防御率も驚異の1.99と球史に名を刻む右腕として、数々の偉業を成し遂げた

いう情熱がいまの自分を作り上げてくれたと思っていますし、皆さんもこの本でいろいろな球種に挑戦してもらいたいですね。

精度の高い変化球を投げるために必要なこと

――高校時代、ダルビッシュ選手は「自分は変化球投手だから、あまりスピードにこだわりはない」とよく言っていましたが、小・中学生くらいのころというのはどうしても球速を求めがちになりますよね。

ダルビッシュ　確かにそうですね。僕も小学生のころなんかは町内のスピードガンコンテストとかにも出場していました。毎年、近所の河原でやっていて、小6のころは最高で90キロ。それが中3のときに一気に140キロぐらいになったんですよね。

――3年間で球速が50キロも上がったのですか。

ダルビッシュ　自分でもちょっとビックリです（笑）。正確には中3の夏に144キロにまでスピードは上がっていましたね。

――そこまで急激に球速がアップした要因はなんだったのですか。何か特別な練習をしたりとか？

ダルビッシュ　それは僕も分からないですね。中2の冬はアキレス腱を痛めていて走れなかったので、肩のインナー（マッスルトレーニング）ばっかりやっていたんです。それで春に痛みがなくなって投げてみたら137キロが出て、それから少しずつ上がっていったという感じですね。自分でも調子いいなと思っていたら、ボールを受けてもらっていたキャッチャーの子が「全然、球ちゃうやんけ！」って。でも、本当に何をしたということでもないんですよね。まあ、僕としてはこういうこともあるんだな～って感じでした（笑）。

――そのストレートの速さと変化球のキレに因果関係はあると思いますか。

ダルビッシュ　ストレートに力がある、速い、キレがあるということはボールにきちんと力が伝わっているということ。そういう力の伝わる投球フォームをしていると、変化球を投げるときにもボールを曲げられる正しい力のかけ方ができるということです。だから「ストレートが良い」は、変化球のキレにも直結してくる。だからこそストレートは大事ですし、皆さんには良いストレートを投げられるように練習してほしいですね。そのためにはしっかり走り込み、高校生はしっかりウエートトレーニングにも励んでほしいと思います。

――走り込みとウエートはやはり重要だと。

ダルビッシュ　もちろんです。それから、中・高校生のときの

Premium Interview

Yu Darvish

2012年から活躍の場をメジャー・リーグへ。「世界一のピッチャー」になるという大きな野望を胸にさらなる高みを目指す戦いは続く

練習は厳しく、量も多いので、普通の食事の量では絶対的に栄養が足りなくなります。だからこそその部分にも興味を持ち、練習量に合った栄養摂取をしてほしいです。昔はプロテインを飲むと身長が伸びないと言われていましたが、それは関係ないので、足りないと思ったら補給してください。バランスの良い栄養をしっかり摂ることで体は大きくなります。ですから、練習量と栄養のバランスはすごく大切。ここが良ければ体力も付きますし、きっとストレートのスピードも上がるはずです。

――「スピードを出す＝きちんと投げられる」ためには、体を強く、大きくする必要があるということですね。

ダルビッシュ　理に適っていない投げ方をしていない限り、トレーニング、練習、栄養、この3つのバランスを取れば、スピードは上がります。そして変化球も曲がると思います。体を大きくするために中学、高校時代などはよくどんぶり飯を食べることが多いですが、炭水化物ばかり摂取せず、肉や納豆などの豆類のタンパク質をしっかり摂ってください。これがないと筋肉が付かないので。体力、下半身の強化にはきちんとした筋肉を付けることが必要です。だからこの本を読んだらお母さんに「ダルビッシュが栄養も大事って言ってたよ！」って言ってみてください（笑）。

〝この変化球を覚えたい〟という情熱がいまの自分を作り上げてくれた

Premium Interview

Yu Darvish

T
TEXAS

ブルペンでの100球よりも1球の実戦

――キレのある変化球を投げるにはいい投球フォームも絶対に必要な要素だと思いますが、現在の投球フォームにたどり着くまでに試行錯誤はしたのですか？

ダルビッシュ　フォームに関しても完全に自己流ですね。中学のときに「あぁせい、こうせい」って言われましたけど、全然聞かなかった（笑）。「周囲からもキレイなフォームだね」とよく言われますけど、ここまでくるのに時間がかかりましたから。1日やそこらではできない。やっぱり歪《いびつ》な動きは脳がすぐには許してくれませんからね。しかも故障したりすると絶対に動かしてくれなくなる。脳が〝痛い〟とシグナルを認識しちゃいますからね。

――こうしていま振り返って小・中学生時代にこれをやっておいてよかったなという練習は何かありますか。

ダルビッシュ　何でしょうかね……。僕は小学生のときは練習とか全然やってなかったですからね（苦笑）。ただ、中学のときはかなり厳しかったですよ。いままでの野球人生で一番練習をした時期でしょう。平日は夕方5時から夜10時とか11時ぐらいまでやっていました。あとは冬！　かなりの距離を走らされたりするのがメチャクチャしんどかったんですよね。ダッシュを何本とか、何分走とか。

――そこで野球をやめようと思ったことは、過去になかったのでしょうか？

ダルビッシュ　それは誰でも一度はあるでしょう（笑）。練習が嫌で行きたくなくなるというか。でも、小・中学生時代はとにかく野球を楽しむことを最優先にしてやってほしいです。それで高校や大学に入ってからはケガをしない体をしっかり作っていってほしいですね。

――最後にダルビッシュ選手から本書の読者の方たちにメッセージをお願いします。

ダルビッシュ　これは僕の持論でもあるんですが、ブルペンで練習するよりも実戦で試したほうが絶対に身に付くと思っています。高校時代なんかは練習試合も多いでしょうから、実戦で練習をするという感覚を持ってほしいですね。ブルペンでの100球よりも1球の実戦です。そして、投げることを楽しんでもらいたいですし、どんなときも遊び心を忘れないで野球をやっていってほしいですね。そして、この『ダルビッシュ有の変化球バイブル』がその手助けとなってくれれば、僕もすごくうれしいです。

Premium Interview

Yu Darvish

part **2**

変化球誌上レッスン

打者を圧倒する剛速球に加え、
高い精度を誇る多彩な変化球を持つダルビッシュ有。
世界の舞台でもその力を見せつける右腕が
自らのテクニックや投球哲学、
謎のベールに包まれていた
あの魔球の全貌を語り尽くす！

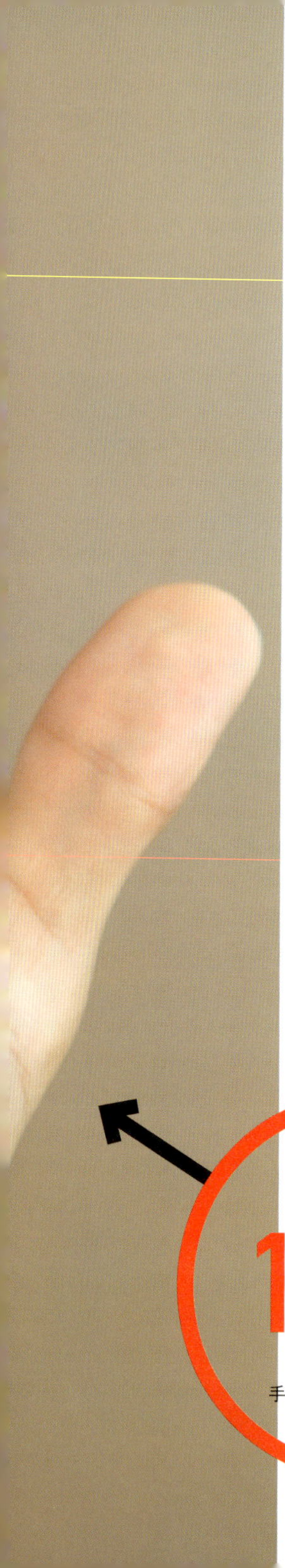

手のサイズ
19.3cm
中指の先から
手のひらの下までを計測

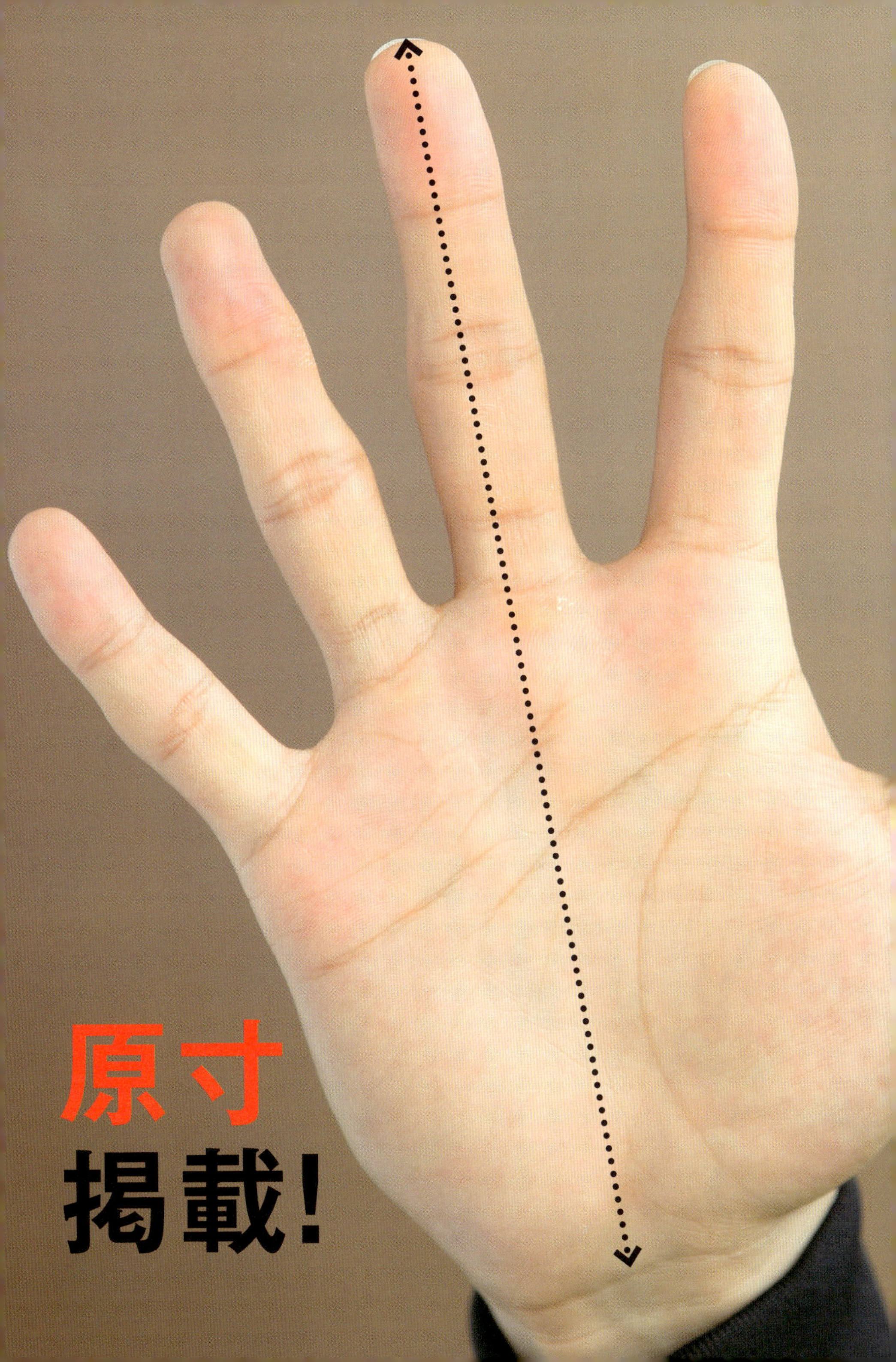
原寸
掲載!

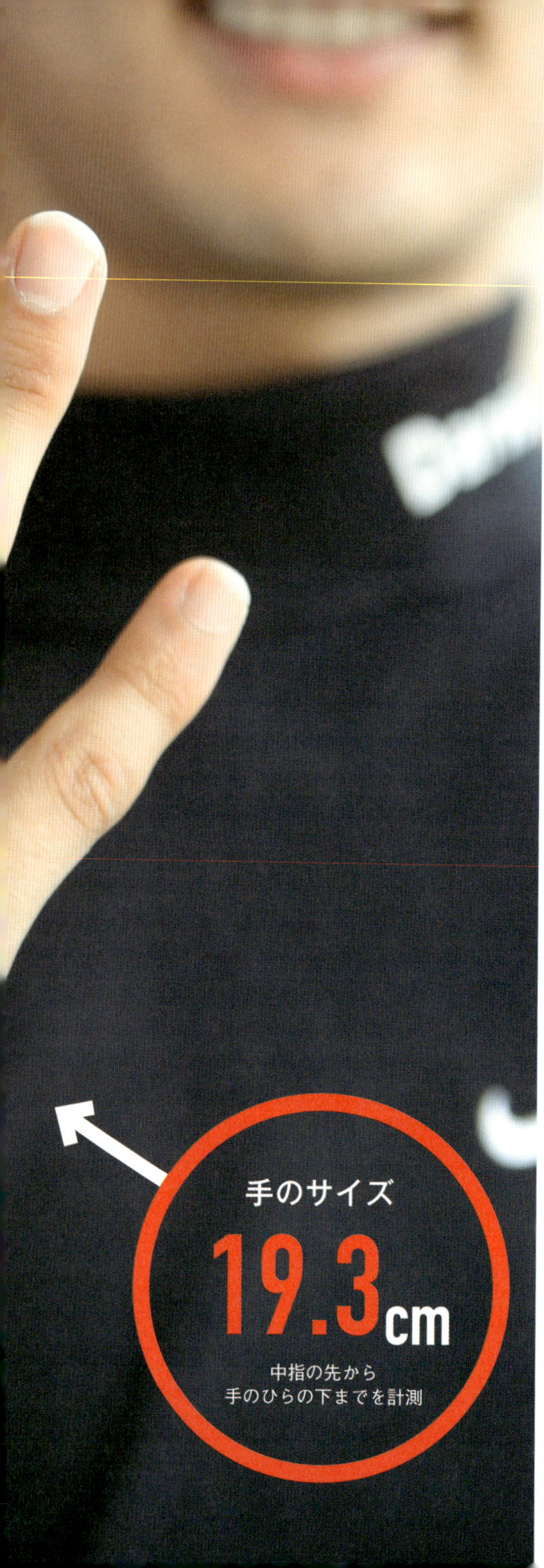

ダルビッシュ有の
打者を幻惑する
あの魔球はこの右手から
生み出される!

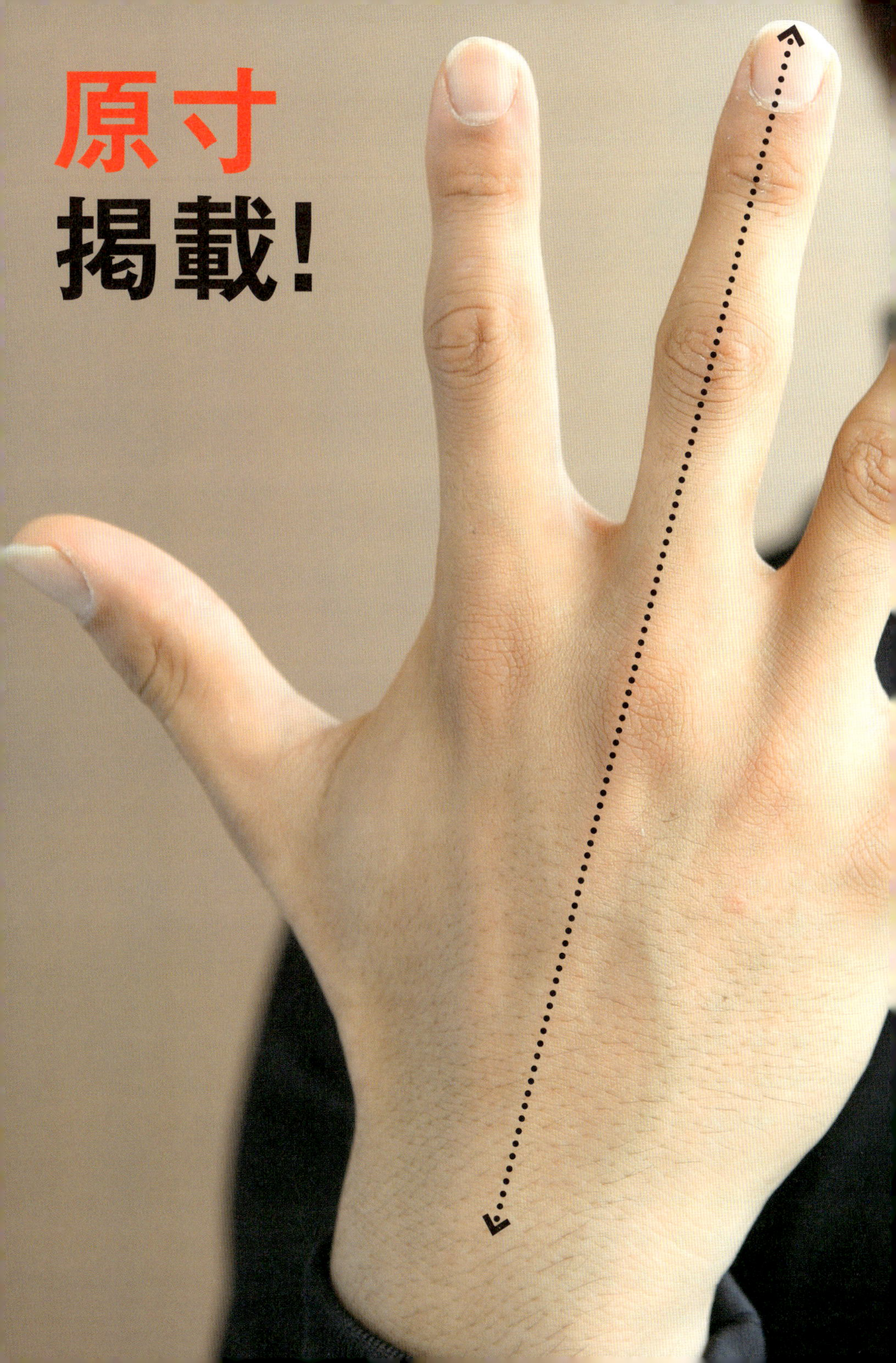
原寸
掲載!

スライダー ［タテ］

“アメフトのボール”を投げるイメージで腕を振り抜く!

SIDE ↑

人さし指と中指はそろえて、クロスする縫い目には置かず、浮かした感じで持つ。親指は手首が曲がらないように一直線上にして縫い目に添える。

FRONT →

人さし指と中指の指先をしっかり縫い目に掛ける。親指は少し立てるような形で側面を縫い目に。このとき手首は曲げずに腕と水平にする。

投げ方・リリース

リストの動き

中指、人さし指とも第１関節の少し上くらいの指のはらを縫い目に掛ける感じで握る。手首は立ててボールを切るイメージ。

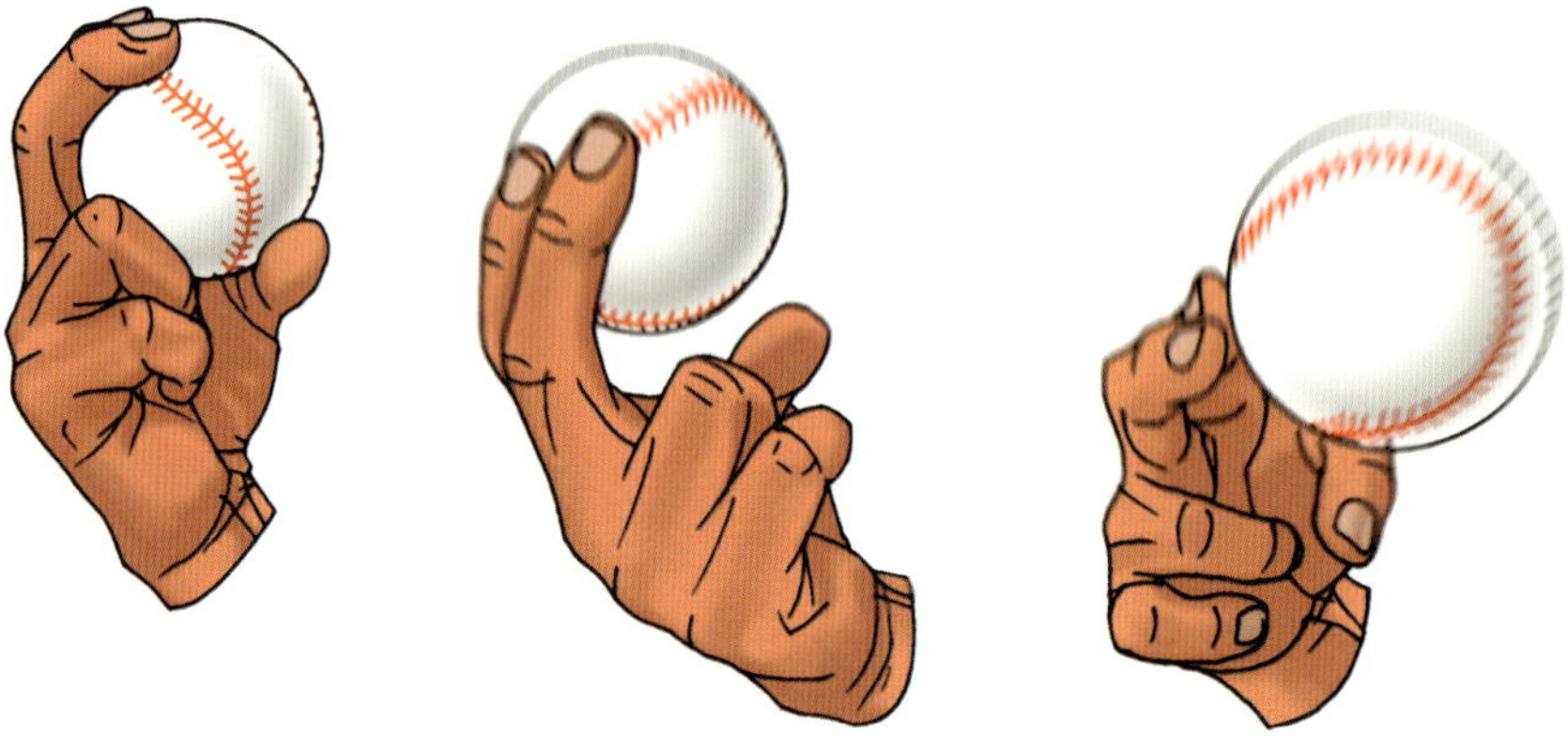

僕が持っている変化球のなかで、誰に教えてもすぐに投げられる球種がタテのスライダーです。皆さんもアメリカンフットボールの試合を見たことがあると思います。そのなかでクオーターバックの選手が投げるシーンを思い出してください。あの投げ方がスライダーを投げるときの理想の投球法です。タテのスライダーの握りのまま、そのイメージで投げてください。

　投げるときにはしっかりヒジと手首を立てること。手首が寝てしまうと抜けたり、変化せずに棒球になったりしてしまいます。気持ち的には真ん中低めにアメフト投法で投げる。これだけです。常に「これはアメフトのボールだ」と思って投げてください。

　ワンポイントアドバイスは先ほども話したように手首が寝ないこと。そして、曲げようと思わないこと。アメフトのような投げ方で低めを狙って投げれば自然に曲がるんだと思って投げることです。この球種はどんな不器用な人でも投げられるので、ぜひ挑戦してもらいたい球種のひとつです。

　このタテのスライダーを投げ始めるようになったのは、07年に元ロッテの小林宏之さんに投げ方を教えていただいたのがきっかけです。僕はそこからもっとキレを出したかったので、その後、いろいろ試して今の投げ方を考えつきましたね。そこでヒントになったのが一時期、話題になった〝ジャイロボー

腕の動き

アメリカンフットボールを投げるような意識で腕を振り抜く。
このときにしっかりヒジと手首を立てる　ことがポイント。

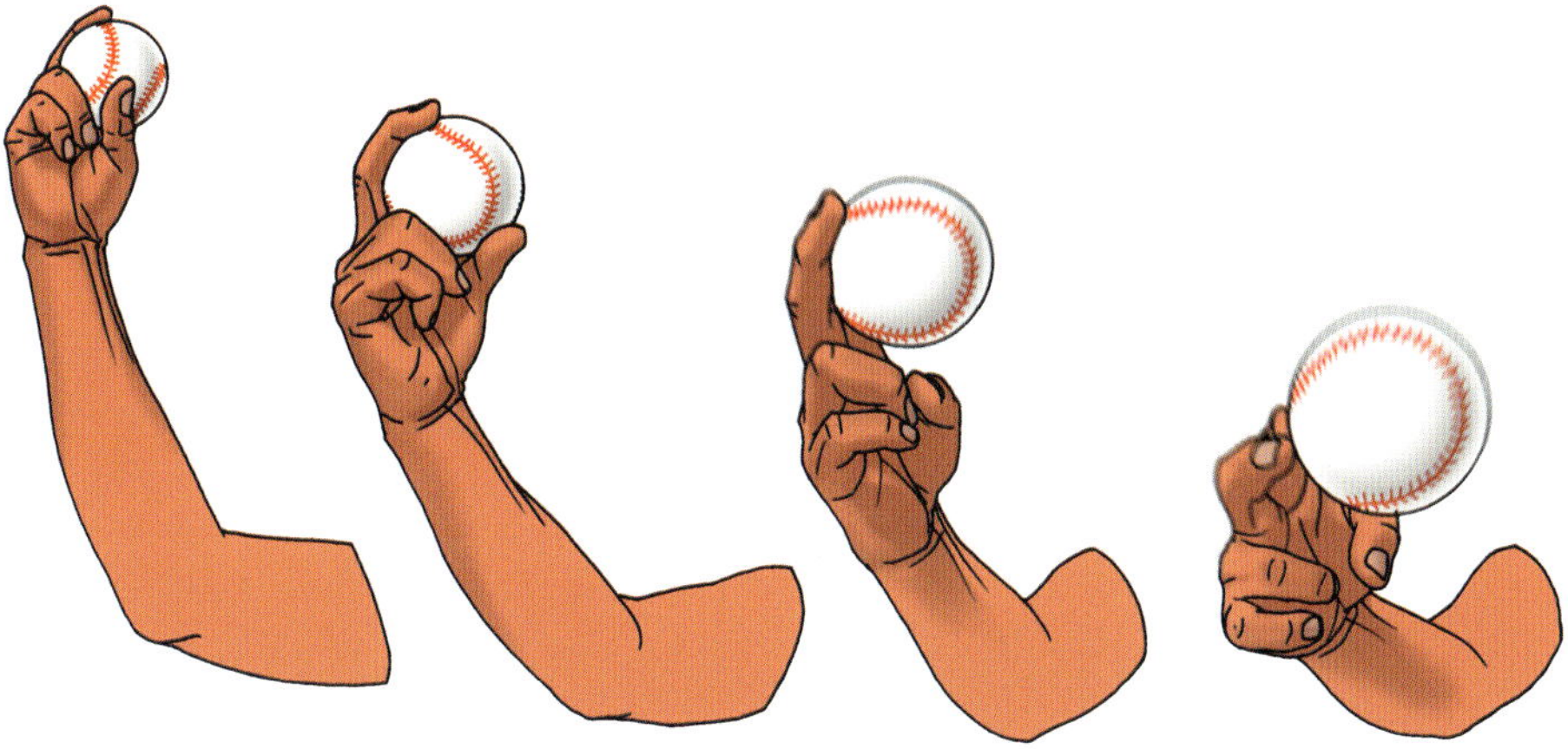

自己評価（5段階で採点）					
キレ	★	★	★	★	☆
制球	★	★	★	☆	☆
完成度	★	★	★	★	☆

キレが良過ぎるというときもあり、また、ストライクを取りにいって抜けて真ん中にいったりするときがある。だから、制球は3くらい。ただ、キレるときは本当に真ん中に投げてもバッターから空振りを奪える球種ですね。

ル〟です。ジャイロ回転というのは上向きに曲がる横回転ですが、僕は「その回転を逆にすればボールは落ちるのでは」と考えて、今の投げ方にたどりつきました。

この変化球は腕の振りや投げ方の特徴によって曲がりも変わってくる球種です。だから握りが一番重要かもしれません。中指、人さし指をしっかり縫い目に掛けることが重要。第1関節の少し上くらいの指のはらを縫い目に掛ける感じで握ってください。

スライダー ［ヨコ］

リリースの瞬間は手首を“一塁方向に投げつける”感覚で

FRONT

中指の外側の第２関節部分までを縫い目の曲線に添って置く。人さし指の指先は縫い目に掛けずに付け根の部分に縫い目を軽く置く感じにする。親指は指先を縫い目にしっかり掛ける。

BACK

人さし指と中指の間は離さず並べる。中指は後ろから見た場合、縫い目をすべて隠すようにして縫い目に掛ける。

SIDE ↑

親指と手首は一直線上にすることで手首が寝ることを防ぐ。

投げ方・リリース

リストの動き

手首はリリースの瞬間にだけ少し力を入れ、縫い目に掛けた中指をファーストベース方向にはらうように投げる。

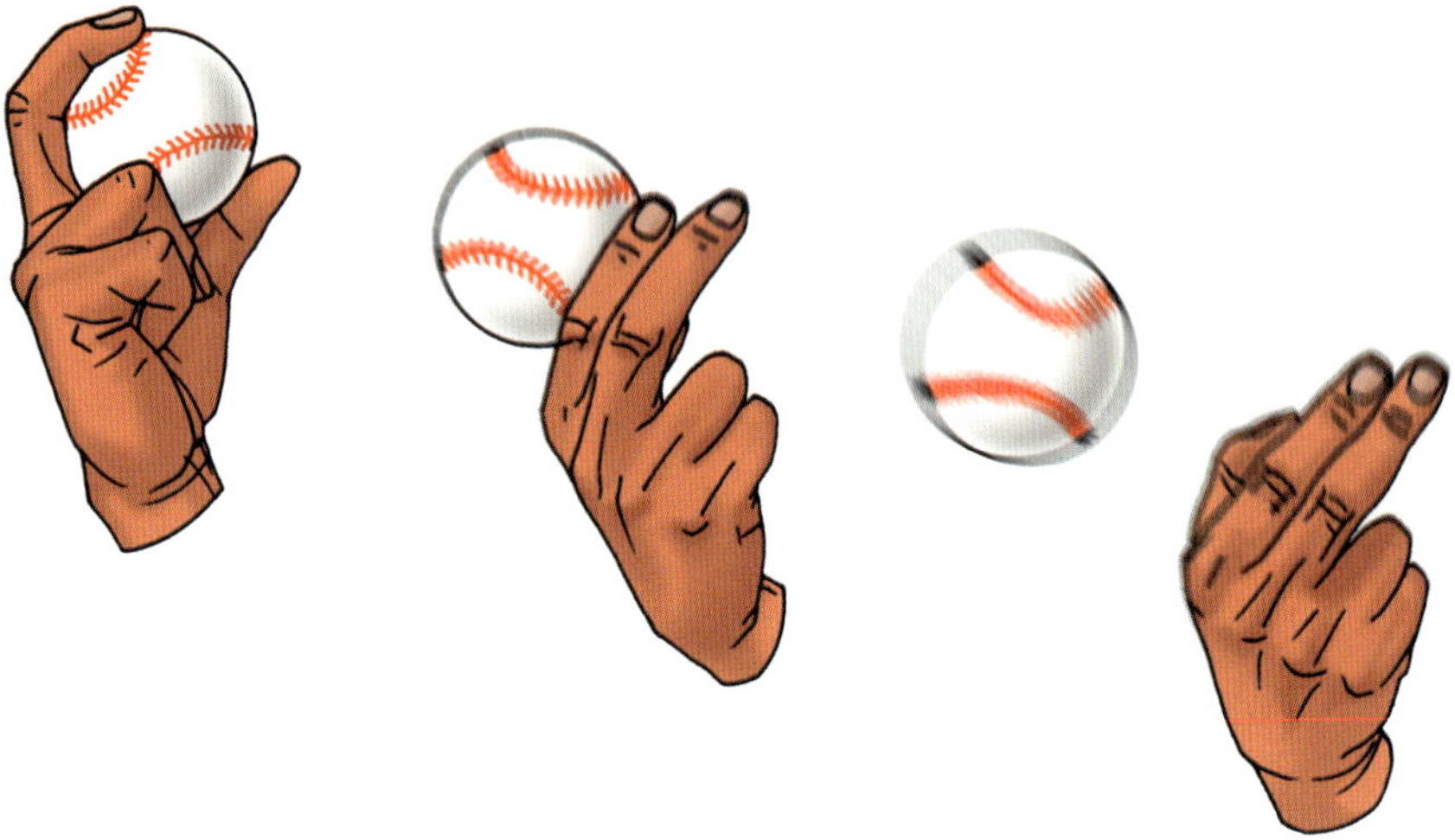

一般的にはスライダーは横に曲げるという考えがあると思うのですが、僕の場合はボールを離す瞬間に手首をファーストベースに向かって〝放り投げる〟意識で投げています。投げるときには腕の力を抜き、リリースの瞬間にだけ手首に少し力を入れ、ファーストベース方向に〝投げつける〟というイメージを持ってください。そうすれば大きな横の曲がりのスライダーになります。リリースのときは、しっかり手首を立て、角度を保って投げてください。そのときに手首はロックするのではなく、柔軟に回せる状態がベスト。

指を掛ける縫い目の位置ですが、中指の力が横のスライダーには必要なので、中指の外側を第2関節ぐらいまで縫い目に掛けている。リリースではその中指をギュッと握るようにファーストベース方向にはらう感覚で離してください。

僕はさらに、リリースした瞬間とその直後に体、腕、手首の力を入れ、ひねる感じで投げています。そうすることでボールにキレが出ます。だから横のスライダーは抜きながら、ボールをひねるという感じで投げていますね。

ワンポイントアドバイスは、右打者の肩口からのスライダーは打ちやすいので真ん中から外角に投げる意識を持つことです。狙うというよりも意識することが大事。何となく「真ん中から外角でいいや」

腕の動き

手首と腕は一直線に立てる。このときは腕の力は抜いて、リリースの瞬間にだけ手首と腕に力を入れながらファーストベース方向に投げつけるイメージで腕を振る。

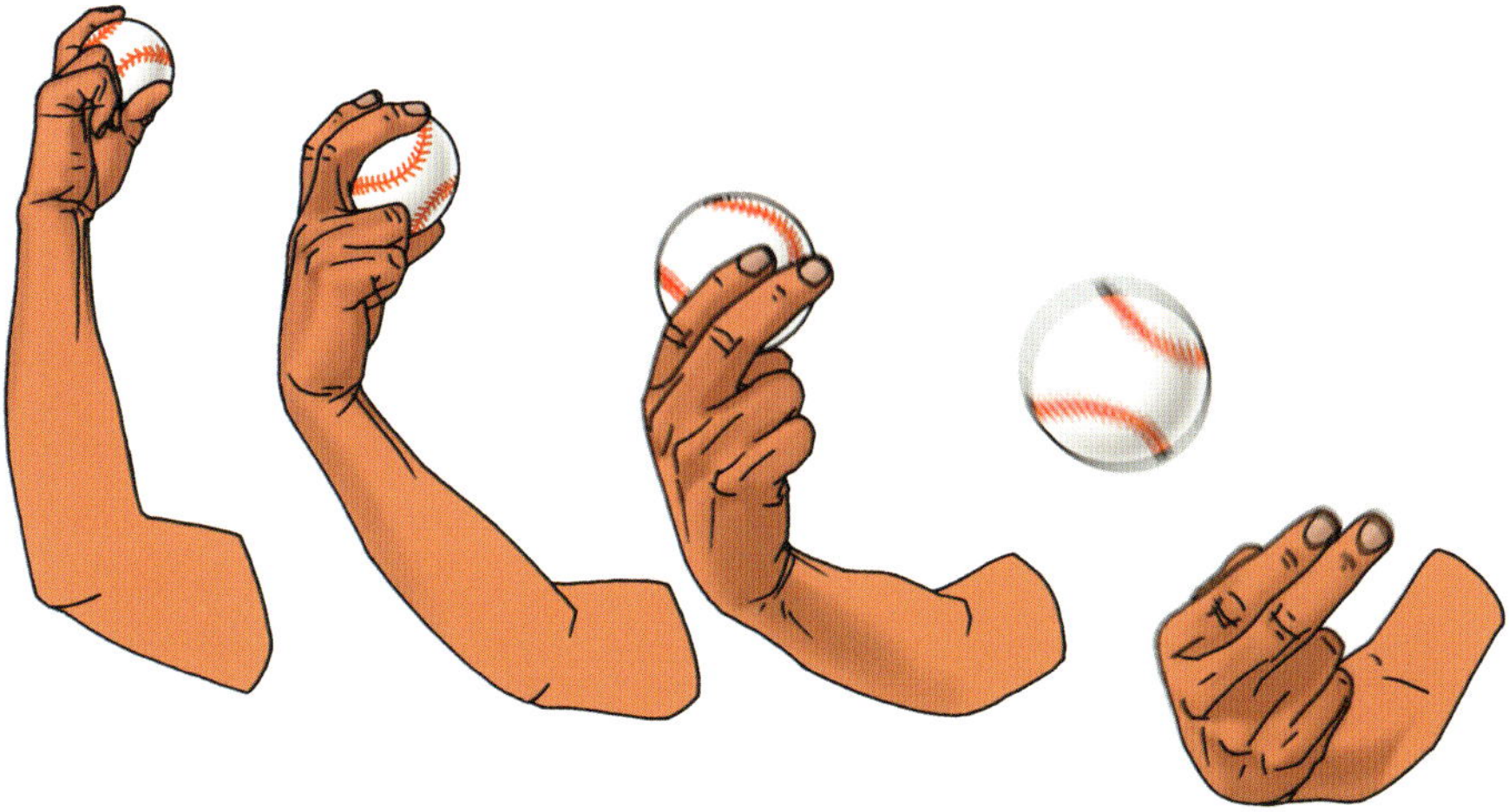

自己評価（5段階で採点）					
キレ	★	★	★	☆	☆
制球	★	★	★	★	☆
完成度	★	★	★	★	☆

この変化球はカウントを取る球種なのでキレはあまり重要視していません。制球と完成度に関しては持ち球のなかでもかなり高いほうだと思います。

くらいの気持ちで投げれば大丈夫だと思います。

この変化球の握りは中学のときのコーチに教えてもらいました。現在は投球フォームは変わっていますが、握りはいまでも変わっていません。試合前にコーチに握りを教えてもらい、試合で使ったらかなりの数の三振を取れたんです。そのときはよく曲がったし、三振をたくさん奪えたので、面白かったですね。変化球への面白み、そして興味はこのボールを覚えてから出てきたと思います。

カーブ

腕にひねりを加えながらも、手首で抜く感覚を意識して

FRONT

人さし指と中指の指先を縫い目に掛ける。親指は少し立てるような形で置くが縫い目には掛けない。このとき手首は立てて腕と一直線上にする。

BACK

ボールのやや右寄りに人さし指と中指をそろえて置く。

SIDE

人さし指と中指はそろえて、クロスする縫い目に掛けて、浮かした感じで持つ。親指はしっかり握って手首はロックする。

投げ方・リリース

リストの動き

中指、人さし指には力を入れないで握り、親指に軽く力を入れる。手首ごとホームに投げるような感覚で親指と人さし指の間からボールを抜くことを意識して。

腕の動き

親指で軽くボールをロックするので手首と腕は寝かせず、ひねりながら手首でボールを抜く。あとはある程度腕にひねりを加えるのがコツ。

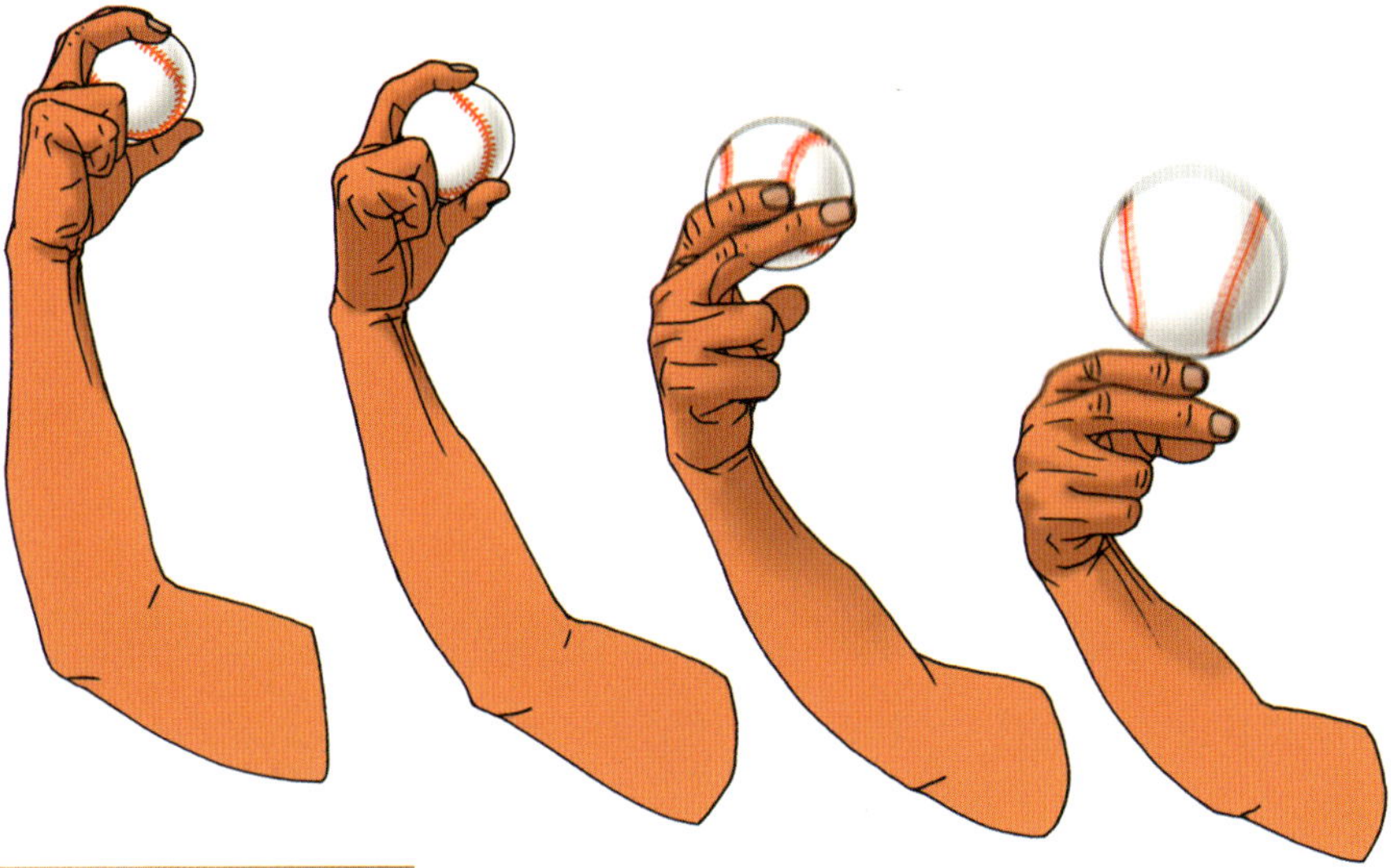

一番最初に覚えた変化球ですし、自分のなかでも一番完成度が高いボールです。キレの項目に2を付けてますが、このボールはキレがあってもしょうがないので1でもいいですね。

自己評価（5段階で採点）

キレ	★	★	☆	☆	☆
制球	★	★	★	★	★
完成度	★	★	★	★	★

腕がトップの位置に来たときにはすでにボールを抜いているイメージ。その感覚が上達への近道

カーブは指先に力を入れて投げるのではなく、手首の付け根あたりでボールを離すぐらいの感覚で投げてください。

この変化球はいかに緩急を付けるかが重要。そこでボールを遅くするには手首で投げるつもりで〝ボールを抜く〟ことが大切です。抜くと必然的に緩いボールになるので、それで打者の目線を変えられるという球種がカーブではないかと思っています。

もちろん、手首からボールを抜くのですが、ある程度は腕にひねりも加えないといけない球種ではあります。だから〝腕をひねりながら手首で抜く〟という投げ方を意識してください。

僕は、腕がトップの位置に来たときにはすでにボールを抜いて離しているという感覚で投げています。それくらい腕の力を抜いたほうが緩いカーブになります。

指はもちろん、縫い目には置きますが、中指、人さし指には力を入れないで握り、親指に軽く力を入れてロックしましょう。そうすれば自然とボールが人さし指と親指の間から抜けていきます。そのイメージで手首からボールを抜いてリリースする感覚を身に付けていってください。

僕が最初にこの変化球を投げたのは小学生のときで、草野球とかで遊びで投げていました。中学1年のときは試合でもかなり投げていましたね。現在の握りになったのはプロに入ってからのことです。

なぜこの握りになったのかは覚えていないんですよね。いつのまにかこの形になっていました。一番最初に投げていたカーブの握りは不思議と覚えていないんです。たぶん中指、人さし指をしっかり縫い目に掛ける握りだったと思います。その後、自分が理想とするカーブの曲がりを考えていったときに、いつの間にか現在の握りにたどり着きました。

僕の考えでは変化球のなかでもカーブは好不調の波が少ない球種だと思っています。そして、ストライクも簡単に取れると思っています。

さらに「カーブはキレがあってもしょうがない」と思っています。なぜかって？　それはストレートとの球速の差があり過ぎて、打者がなかなか振ってこないからです。そういう理由があって、キレがなくても簡単にストライクが取れる。だから制球を磨いたほうが良いと僕は思っています。また、カーブを投げる目的は遅い球を見せる、というところにあると思っています。その次に投げるストレートやほかの変化球をより速く見せるためのボールという意識を持つことが大切です。

最後にワンポイントアドバイスをするなら、カーブを覚えればこの球で簡単にストライクが取れるようになる。だからとにかくコントロールの精度を上げることです。ただ、この考え方は変化球の種類を多く持っている投手というのが前提の話になります。持ち球がカーブしかない人は、まずはコントロールよりもキレを重要視して磨いていったほうが良いかもしれません。

スローカーブ

真っすぐと同じ腕の振りで “ボールを抜く”イメージ

SIDE ↑

基本はカットボールと同じ握り。ボールをしっかりロックするのがポイント。

FRONT →

中指、人さし指の指先を縫い目に掛ける。親指は少し立てるような形で置くが、縫い目には掛けない。

投げ方・リリース

リストの動き

腕がトップの位置に来たときにすでにボールを抜いているイメージを持つこと。

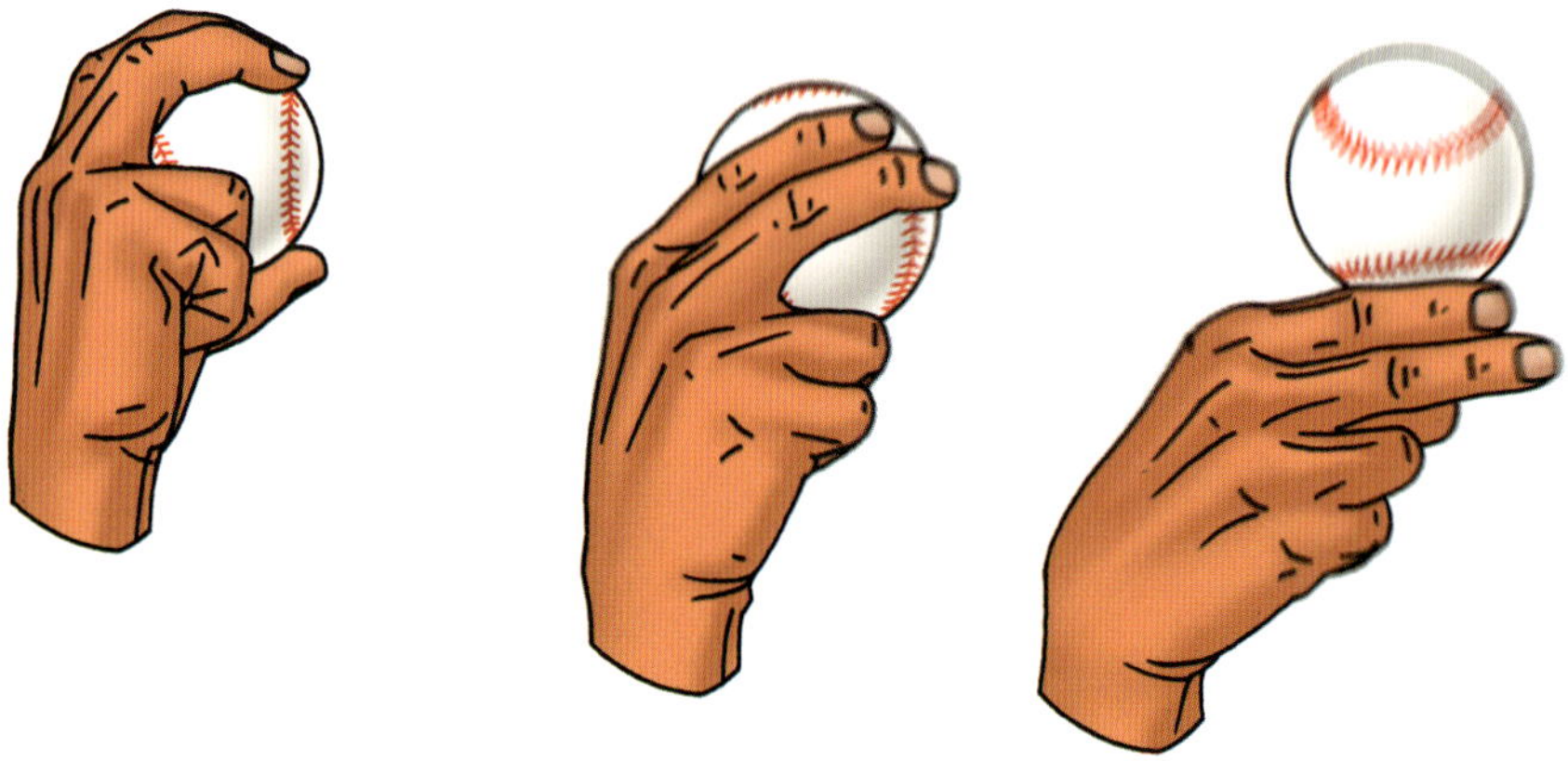

僕が投げられる変化球の中で一番自信があって、完成度が高いのがこのボールです。握りは中指、人さし指の指先を縫い目に掛け、親指でしっかりボールを押さえて手首をロックしています。つまり、握りそのものはカットボール（P44〜47）と同じなんです。それでは何が違うのかというと、投げるときにいかに真っすぐと同じ腕の握りで〝ボールを抜く〟ことができるか。ただ実は、人にレクチャーするのが一番難しいのがこのボールなんです。

実際には感覚的なもので投げている部分が大きい。それを踏まえた上でポイントを挙げるなら、腕がトップの位置に来たときにすでにボールを抜いているイメージを持つことです。とにかく思い切り腕を振って、ボールを抜く感覚をつかむまで何度も何度も繰り返し投げ込むことが大事です。それと手首から抜くボールなのである程度は腕にひねりも加えないといけない。だからひねりながらボールを離すこと。このあたりも落差のあるいいカーブを投げるコツのひとつです。

持ち球にこのカーブがあることでピッチングの幅はグッと広がりますし、相手のバッターもかなり嫌がってくれます。カウントを取るにしても、全体の配球を組み立てるにしても、とても有効なボールと言えます。それに数ある変化球のなかでも好不調の

腕の動き

とにかく真っすぐと同じ腕の振りを意識して。何度も投げ込んで抜く感覚を養うのが上達への近道。

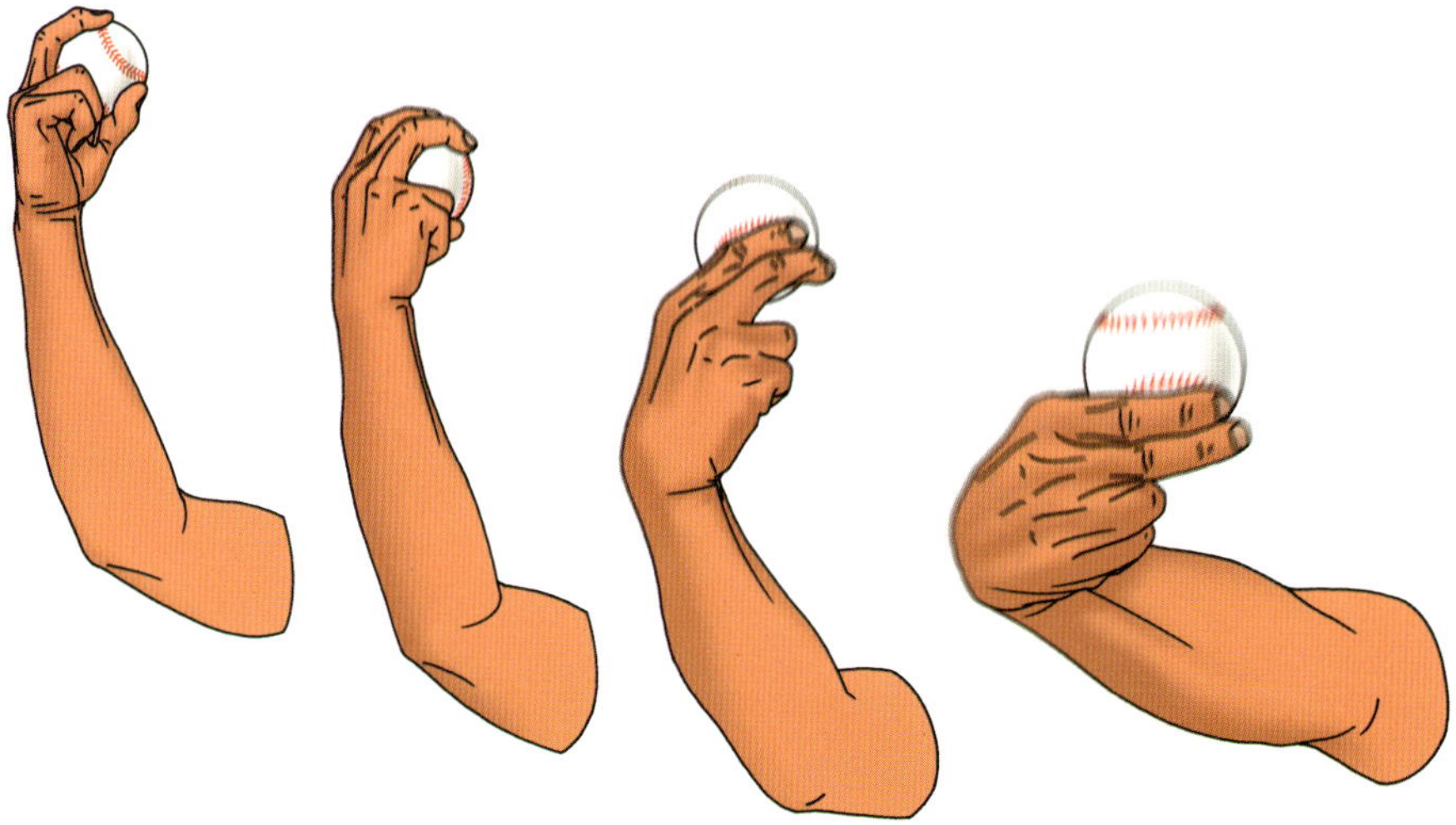

波が少ない球種であることもすごく重宝している点です。

そのほかのポイントを挙げるとするなら、キレや曲がりよりもコントロールを磨くことに重点を置いてほしいですね。このカーブを投げる一番の目的は遅いボールを相手バッターに見せることですから。その次に投げる真っすぐやほかの変化球をより速く見せるボールなんだという意識を持つことも大切です。

僕の握りや投げ方でボールがなかなか思うように曲がらないな、落ちないなって感じたら、少し自分なりに握る位置など指をずらすなどしてみてください。またリリースの位置を変えることで変化も変わってきますので、自分に合った握りを探してみて下さい。

［週刊ベースボール2011年6月20日号・変化球特集より抜粋掲載］

カットボール

中指と人さし指の先端に
力を入れてボールを切る！

SIDE ↑

この写真ではもう一つのカットボールの握りを紹介する。中指の指先を縫い目の外側から回し掛ける。人さし指は第2関節まで縫い目に掛ける。

BACK →

基本の握りはカーブ、タテスライダーと同じ。中指、人さし指の指先を縫い目に掛け、投げる瞬間に薬指と小指を少し握り、手首の角度を変える。

投げ方・リリース

リストの動き

手首を立ててボールは軽く持つ。リリースの瞬間、薬指と小指を少し握りながら手首はストレートの感覚でボールを切る。

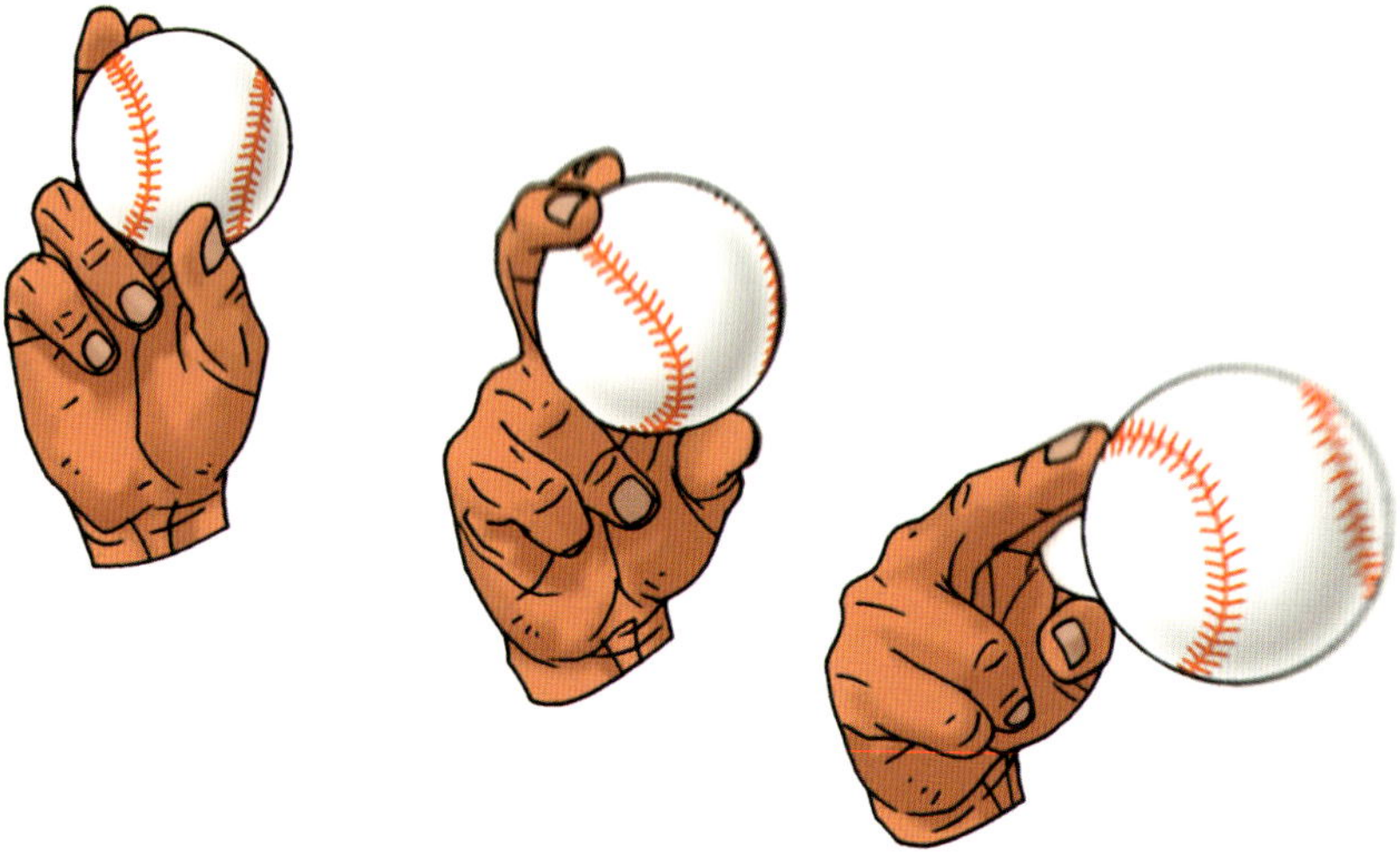

カットボールもまた、誰に教えてもすぐに投げられる球種です。握りはタテのスライダーと同じ。投げ方に関しては腕と手首を右打者の外角に投げるイメージです。あとは左打者の内角を狙い、ストレートと同じように腕を振ること。それにこの球種は少し角度を変えて投げるだけで曲がるんです。

僕はカットボールでストライクを取ろうと思って投げてません。さらに、内角の高低などは考えず左打者の内角の真ん中を狙って投げています。中指と人さし指の指先に力を入れてビューンというイメージです。

カットボールを投げるときに中指と人さし指の2本指の動かし方や、角度を付けることに苦労している投手がいるはずです。そこで僕が見つけた〝トリビア〟をお教えします。

ボールを離す直前に、曲げている薬指、小指に同時にピュッと力を入れてみてください。そうするとその2本の指に連動して自然と中指が反応するでしょう? これを応用し、この方法で角度を変え、そのままストレートの投げ方でリリースしてください。そうすることで、自然にカットボールしか投げられない角度になるんです。このコツをつかめば草野球でもすぐ投げられるようになりますよ。

注意点は中指と人さし指は必ず付けること。これ

腕の動き

ストレートと同じ感覚で腕を振っていく。手首の使い方が重要な球種だけに、腕の振りはあくまでもストレートのイメージを忘れないこと。

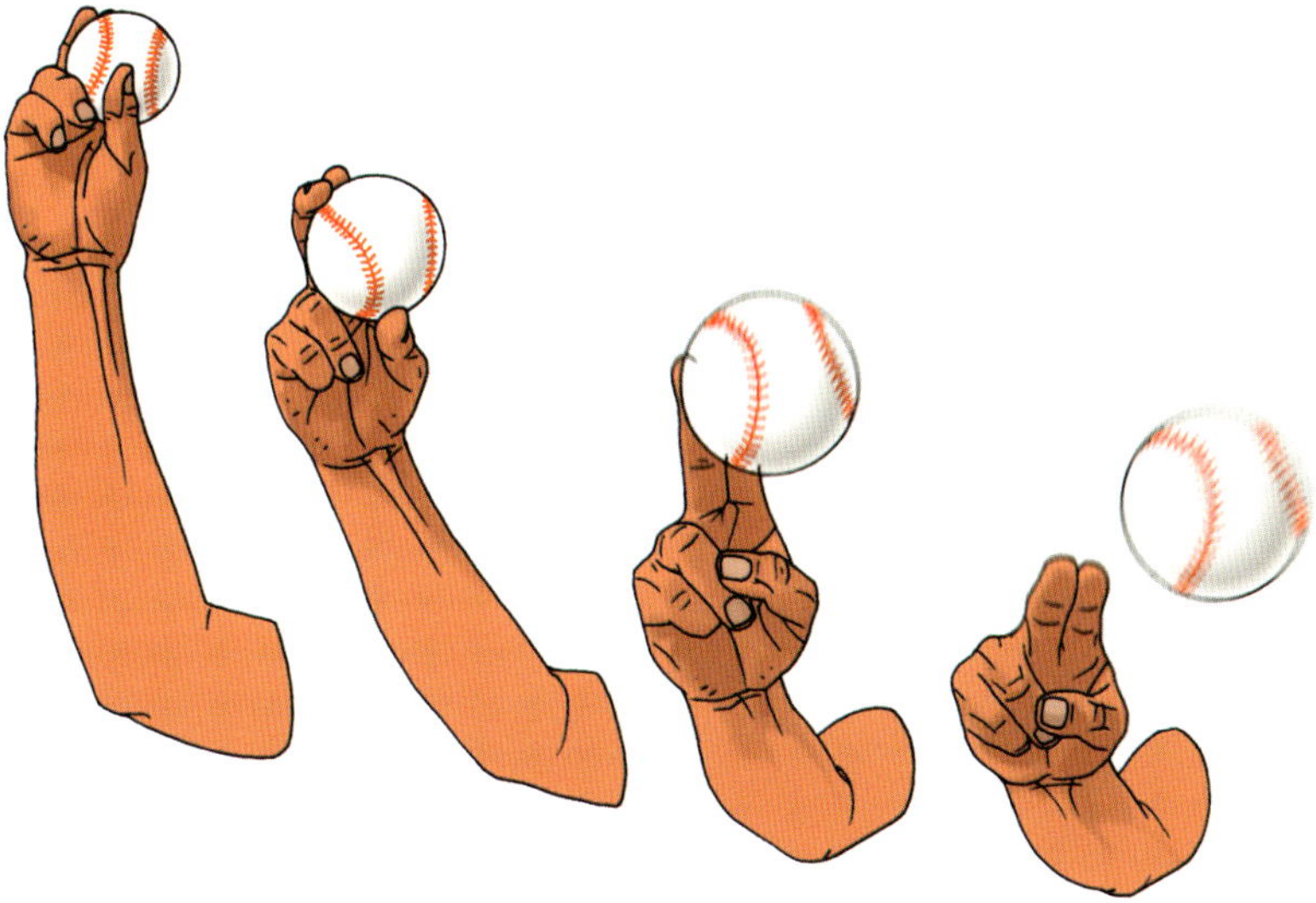

自己評価（5段階で採点）					
キレ	★	★	★	★	☆
制球	★	★	☆	☆	☆
完成度	★	★	★	☆	☆

調子が悪いときは抜けることが多いのですが、調子が良いときには完璧に近い完成度と言ってもいいボールです。本当に日によってムラのあるボールなんですよね。

はどの球種を投げるときも一緒ですけどね。これがワンポイントアドバイスでもあります。あくまでも薬指、小指をピュッと握る感覚をつかんでください。

このカットボールは07年くらいから投げ始めました。ほかの投手に「投げ方を教えて」とも言われましたが、実は僕自身、人にこの球種の投げ方を教えるのがすごく難しかった。でも、自分で指の動きなどを考えているときに、薬指と小指を手首側に少し動かすと中指が連動して動くことに気付きました。これをキャッチボールで試してみたら簡単に投げられたんです。だから皆さんも絶対に投げられると思いますので、ぜひ挑戦してみてください。

フォークボール

手首をしっかり “ロック”して腕を振る

BACK ↑

第2関節くらいまで人さし指、中指とも縫い目に掛けないようにするのがポイント。親指に力を入れて手首をロックするようにボールを持つ。

FRONT →

人さし指、中指はどちらも縫い目に掛けずに挟むようにしてボールを握る。親指の指先を人さし指近くの縫い目に掛ける。

投げ方・リリース

リストの動き

親指、中指、人さし指、手首をしっかりとロックしたまま、ストレートのように自然にボールを切るようにして投げる。

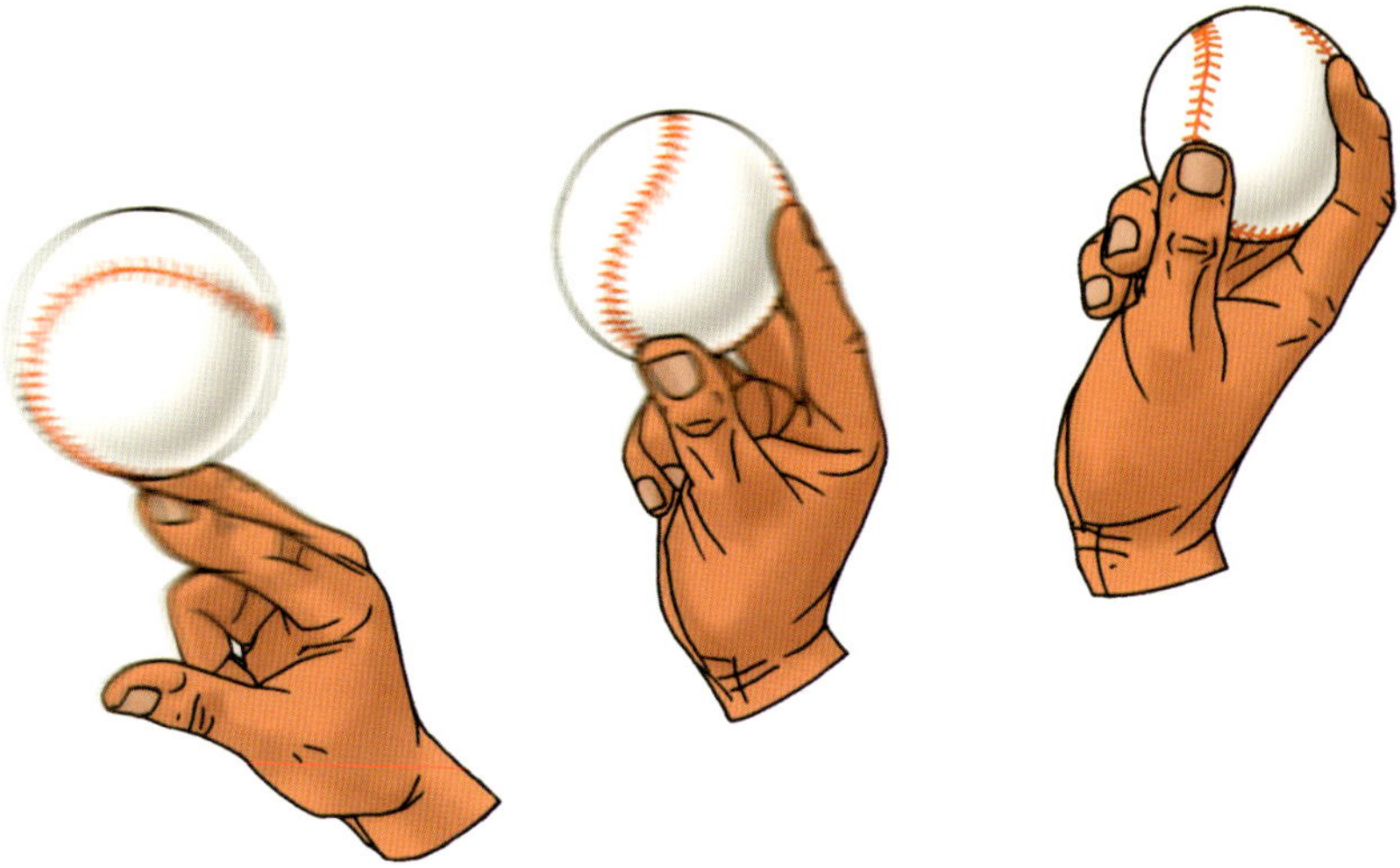

僕の場合はツーシームの握りをさらに広げて握って、親指を横に添える形をとっています。そして、親指、中指、人さし指、手首をしっかりロックし、そのままストレートを投げる要領でリリースします。

そうすれば自然とボールは落ちます。僕もいろいろな握りを試してみましたが、縫い目に掛けない、ツーシームの延長線上のような握りのほうが投げたときに空気抵抗が少ないから一番よく落ちることが分かりました。

あと、投げるときの気持ちようですが、「もっと落とさなければいけない」、「最後は重力がかかってボールは自然に落ちる」と考えるのかの差はすごく大きい。僕は後者の考え。もともと重力によってボールは下に落ちるものだから、低めを狙って投げるのが大前提となっています。

この球種は高校生のときから投げていましたが、09年に入ってからそう考えるようになりました。そして、この意識を持つようになってからよく落ちるようになりましたね。それにともなってフォークのコントロールも自然によくなりました。

皆さんが草野球をされるときでも同じですよ。「メッチャ、落としたろ」と考えるのか「とにかく、低めに投げよう」と考えるのかでフォークの落ち具合もコントロールの質も変わってきます。三振奪取

腕の動き

腕の振りはストレートとまったく同じ感覚で腕の力を入れずに振り抜く。
あとは「ボールは自然に落ちるもの」と思いながら投げることが大切。

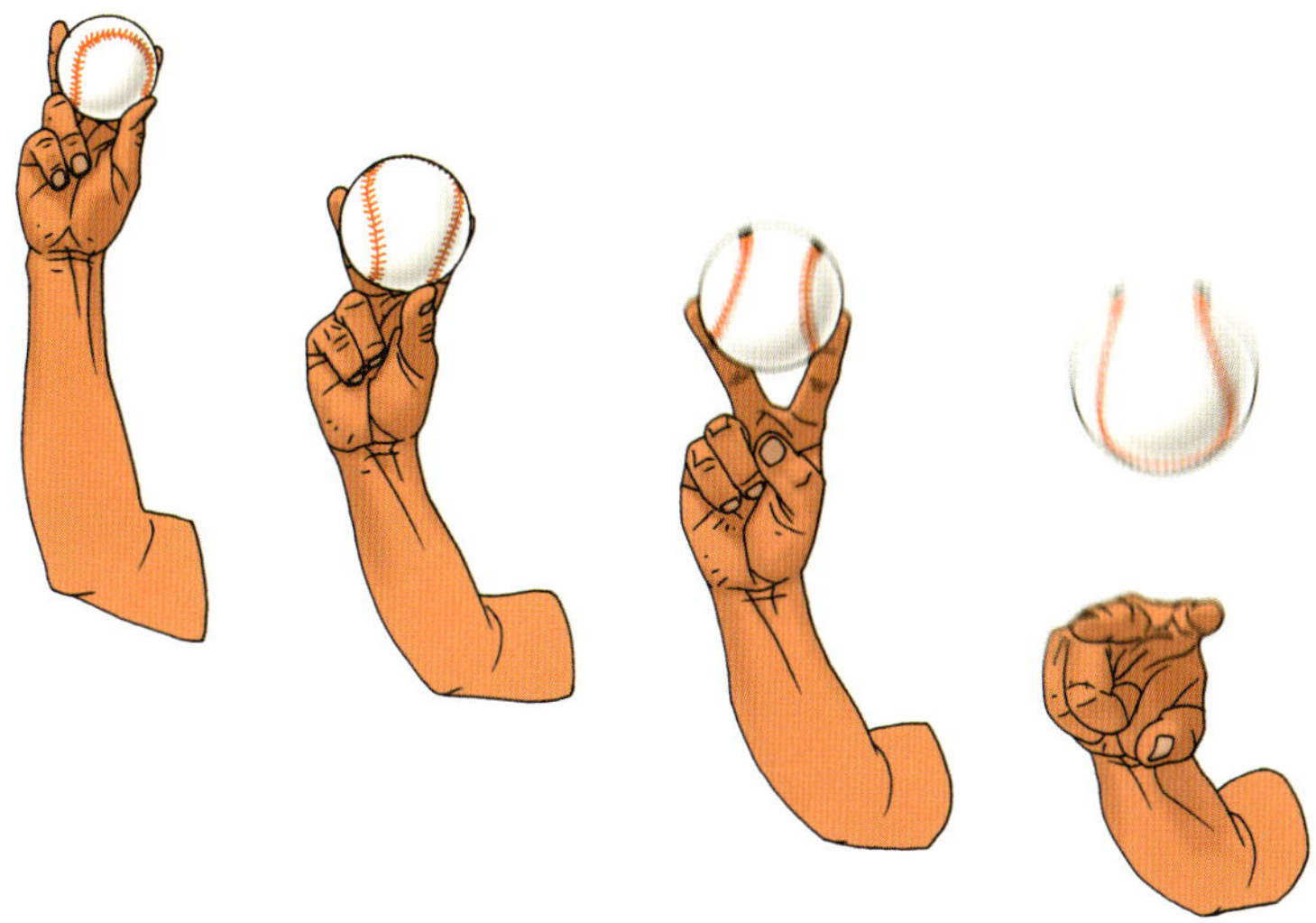

自己評価（5段階で採点）					
キレ	★	★	☆	☆	☆
制球	★	★	☆	☆	☆
完成度	★	★	☆	☆	☆

高校生のときから投げている球種ですが、まだ改善の余地はありますね。でも年を追うごとに完成度は上がってきているとは思います。

率も後者の考えのほうが断然高いですね。

それと、もうひとつの考え方があります。「このような特殊な握りを最初からしているんだから、この握りのまま普通に投げても落ちるんだ」と思えるかどうかも、落ちる、落ちないにつながると僕は思っています。

最後にアドバイスするなら、これまでの話をまとめる形になってしまいますが、「フォークは低めに投げれば落ちるんだ」ということをとにかく心掛けてください。

スプリット・フィンガード・ファストボール［SFF］

中指の内側側面を滑らせるような感覚で

SPLIT-FINGERED FASTBALL

BACK ↑

縫い目に合わせて人さし指と中指を同じように広げて握る。挟むという感覚よりは指を縫い目に掛けて握り、親指を軽く添える。

FRONT →

中指、人さし指の内側を付け根、第2関節まで縫い目に掛ける。第1関節の指先には縫い目を掛けない。親指は軽く指先を縫い目に置く程度に。

投げ方・リリース

リストの動き

リリースするまでボールを抜いていく感覚を持つこと。そのときに中指の内側側面の第２関節あたりからボールを順番に離す感覚で投げる。

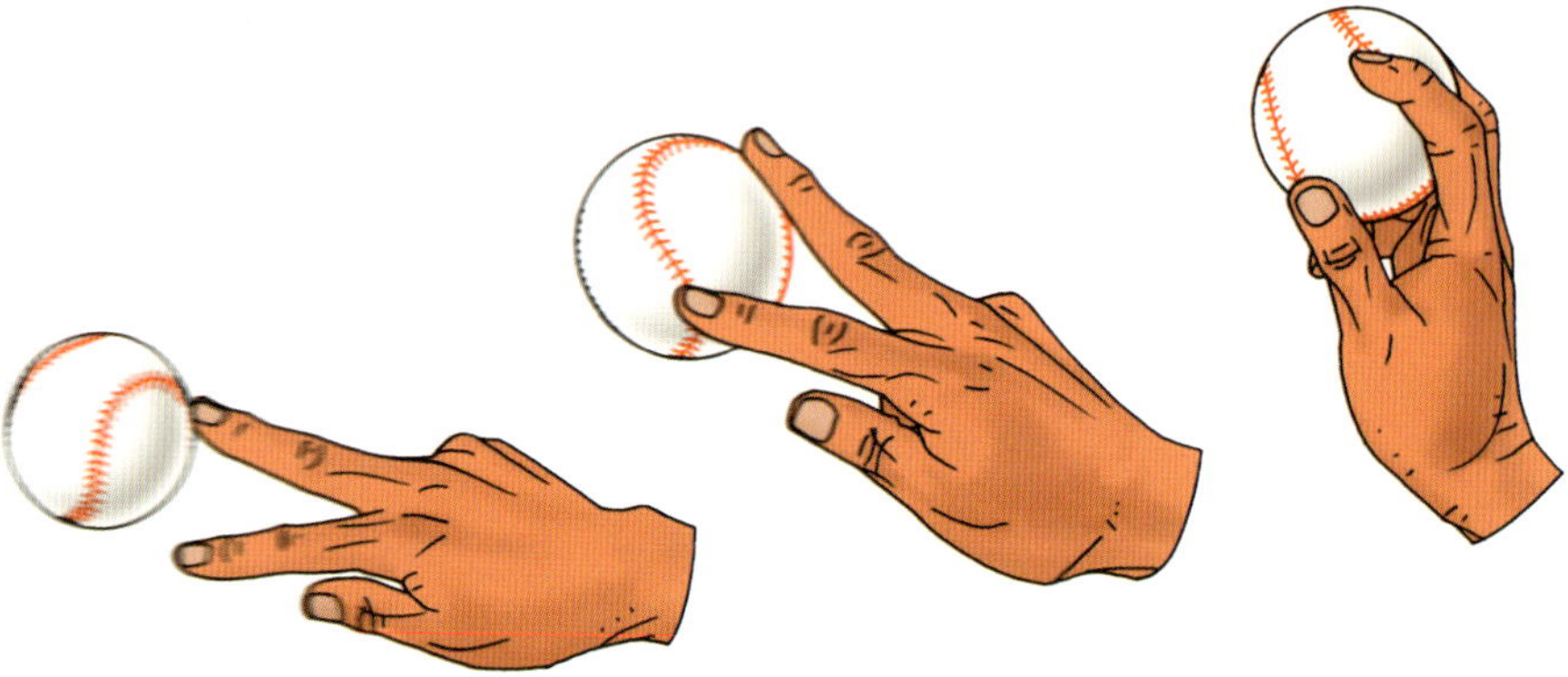

この変化球はフォークよりももう少し特殊な球種であるという感覚を持って、僕は投げています。真ん中低めを狙ってシュートの投げ方をしながらボールをリリースするのですが、でも、シュート回転をさせない感覚で投げるのがポイントです。

意識的には中指の内側側面を滑らせるような感じで投げます。ボールを抜くように投げてしまうと対戦する打者には「スプリットだ」と簡単に分かってしまいます。でも、ストレートと同じ投げ方だと打者はどちらなのか判断しにくい。だからフォークよりもボールは少し浅く握り、中指の内側側面を意識して投げるようにするとストレートとまったく同じ投げ方になるんですよ。これだとフォークよりもスピードが出ますしね。

投げるときの注意点は、中指の内側側面の第2関節あたりからボールを順番に離していき、リリースする直後までボールを〝抜いていく〟感覚を持つことです。そして「とにかく低めに行け！」と自分のなかで念じながら投げてみてください。

スプリットは08年のシーズン途中から少しずつ投げ始めました。09年に入ってさらに、完成度の高い変化球になっています。

腕の動き

手首を立てながらストレートと同じように投げる。リリースの瞬間に少しシュートを投げるように腕、手首を外側に開くようにする。

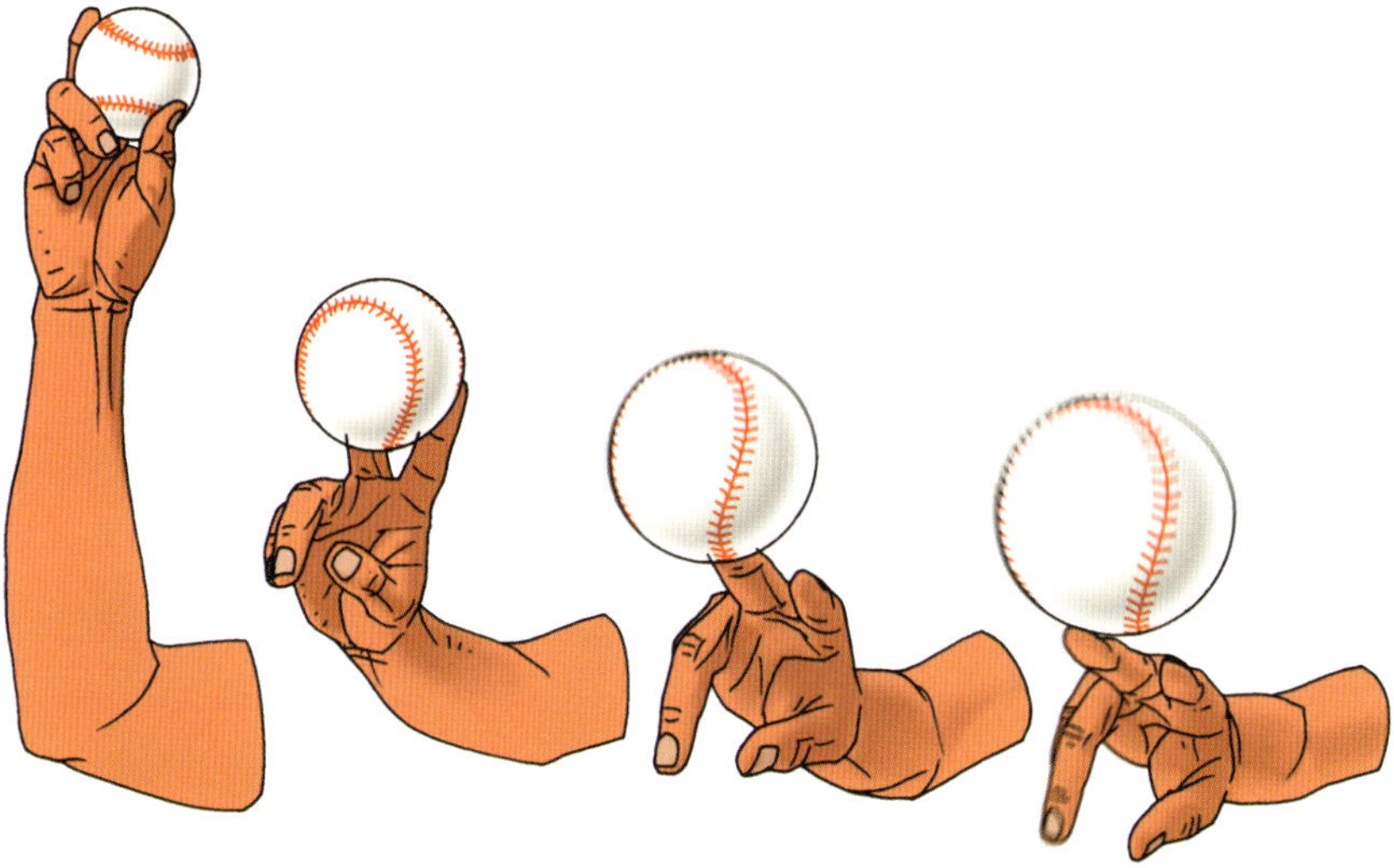

自己評価（5段階で採点）

キ レ	★	★	★	★	☆
制 球	★	★	★	★	☆
完成度	★	★	★	★	☆

08年の途中から投げ始めたボールですが、キレも制球もまずまずだと思います。これからも磨いていきたい変化球の1つですね。

最後にアドバイスをするなら、もう単純明快。フォークと一緒で「低めに投げさえすれば、ボールは必ず落ちますよ」ということです。

チェンジアップ

中指、人さし指、薬指に力は入れない。親指をロックして真っすぐと同じイメージで

BACK ↑

全体的にボールを包み込むように握る。薬指の指先は少し浮かせ気味に。

FRONT →

親指と小指の第1関節を縫い目に掛け、人さし指の第1関節の内側も縫い目に掛ける。中指と薬指も第1関節あたりに縫い目がくるようにボールを握る。

投げ方・リリース

リストの動き

中指、人さし指、薬指に力は入れない。親指をロックするようにして投げ、手首も固定。手首と手のひらをホームに向けて真っすぐに投げる。

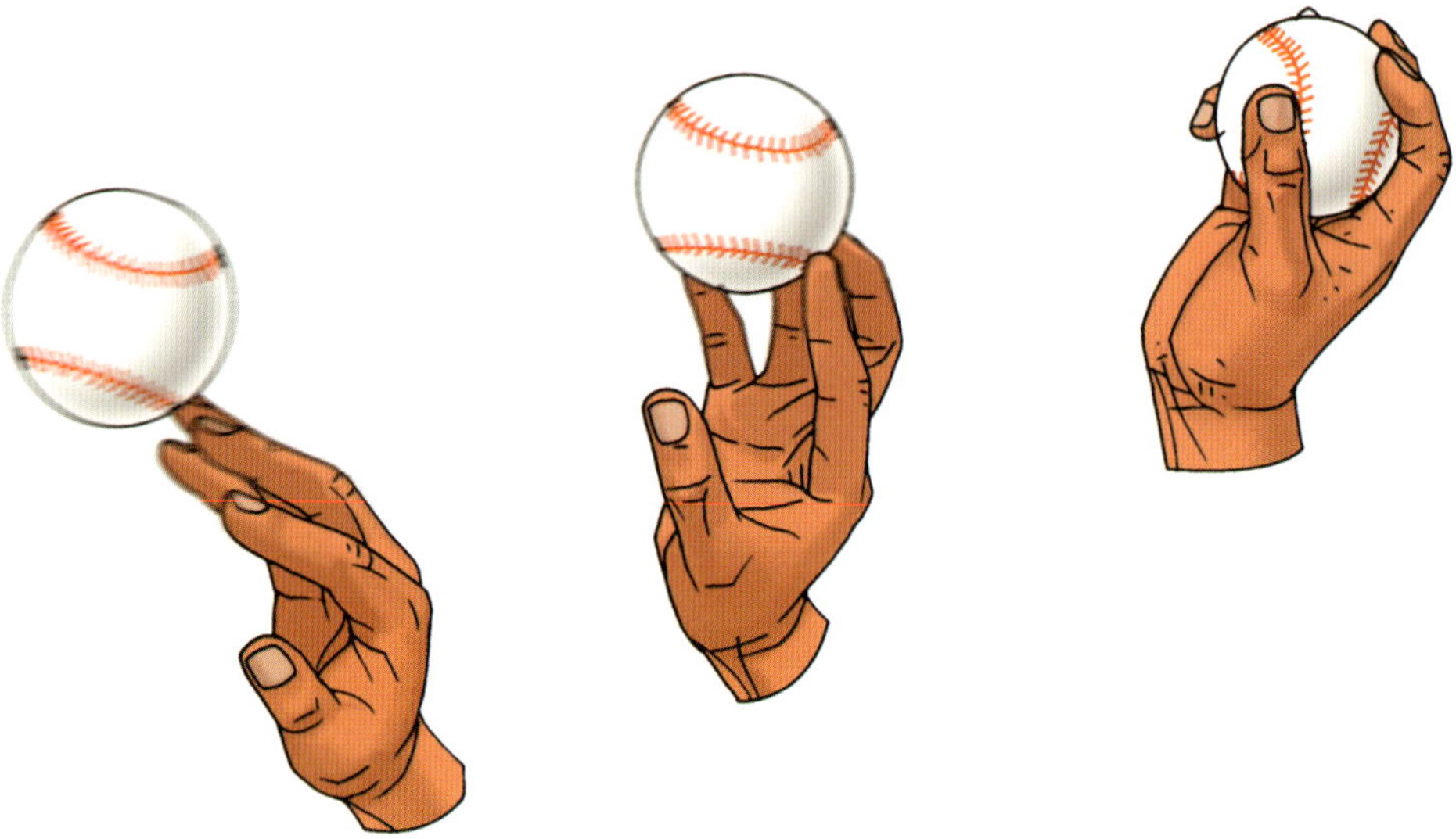

腕の動き

手首と手のひらをホームベースに向けることを意識すれば、自然と腕も正面を向く形になる。あとは思い切って腕を振る意識を持つこと。

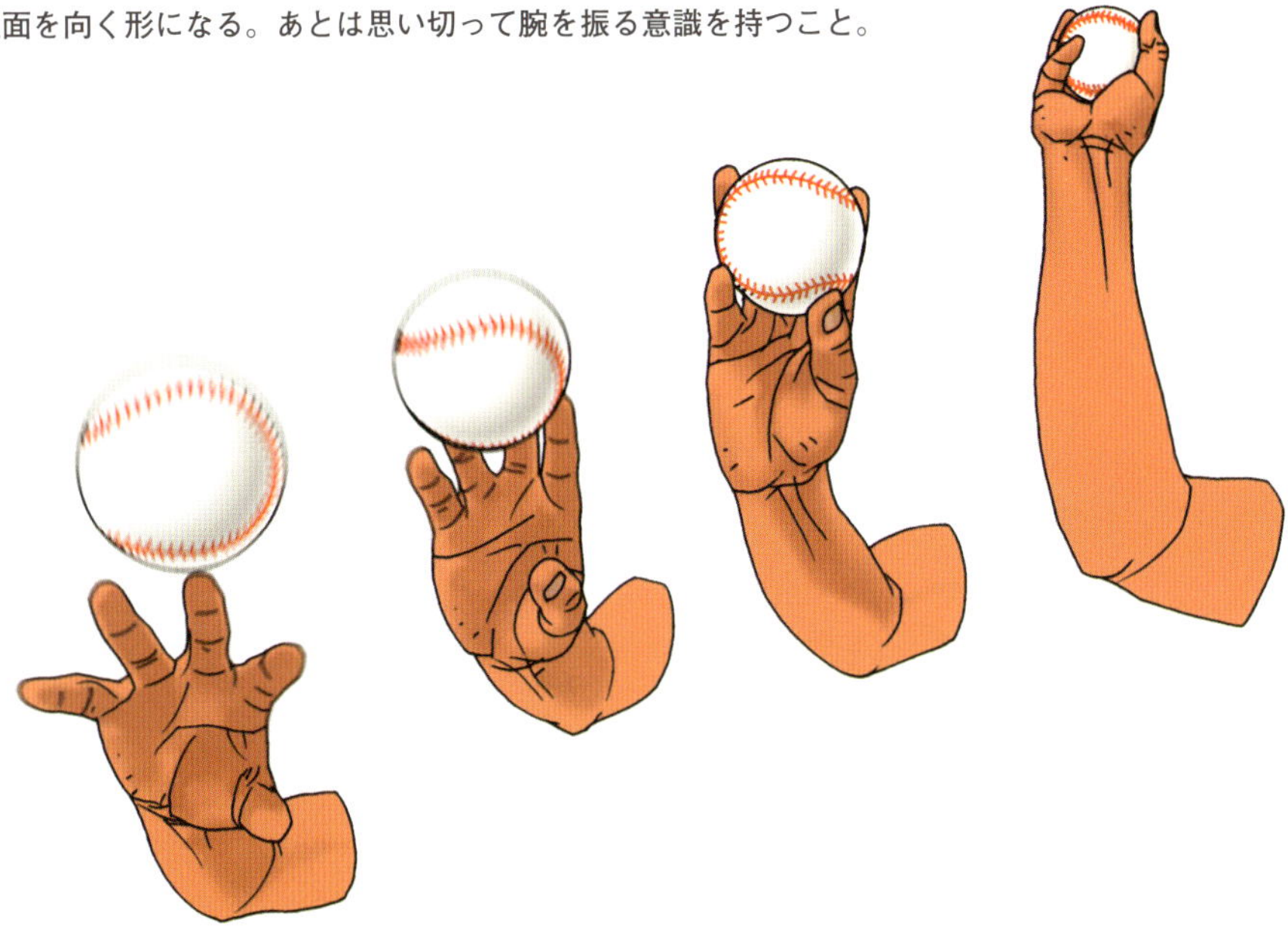

試合のなかで息抜きのような感覚で投げている変化球です。全体的な精度をもっと上げようと思えばできるのですが、現段階ではそこまで重要視してないボールなので自己評価も低めに採点してあります。

自己評価（5段階で採点）

キレ	★	★	★	☆	☆
制球	★	★	☆	☆	☆
完成度	★	★	☆	☆	☆

ポイントは親指以外の指の力を抜くこと。リリースの瞬間はストレートと同じイメージで

この球種は投手が投げた瞬間、打者が「ストレートだ」と思ってしまうボールです。打者はボールが手元まで来て「打てる」と判断しバットを振りますけど、実際にはボールはまだ、そこまで来ていない。それがチェンジアップというボールの特徴です。僕はカーブと同じ考え方で、キレを重視するというよりも制球に気を付けるように心掛けています。コツは中指、人さし指、薬指に力は入れないで、親指をロックするようにして投げることです。そして思いっ切り腕を振って投げれば自然とチェンジアップになります。

この球種自体、握りがほかの球種とまったく違うので、親指をロックしてストレートと同じ感覚で投げれば自然と失速して変化していくんです。

注意点は、投げる瞬間にスライダーを投げるときのように小指側の手のひらが一塁側を向くような形で、右打者の外角に引っ掛け気味に投げないことです。この投げ方をしてしまうと左打者との対戦の場合など、ストライクゾーンの内角から真ん中に入る甘い球になってしまいます。

それを考えると気持ち的にはシュート気味に投げたほうがいい。ボールになってもいいので、右打者の内角低め、左打者の外角低めを目がけて投げてください。僕は手首と手のひらをホームベースに向けて真っすぐ投げるようにしています。この投げ方を身に付ければ失投は必ずなくなります。

しかし、そのことにあまり気を取られてもいけません。なぜなら親指に力を入れてロックして投げれば自然と手首と手のひらがホームベースに向くのですから。それでもこれができない人は、親指以外の指の力を抜くような意識を持って投げてみてください。

そして、リリースするときはボールを抜くことだけを考えて手首は使わない。このときも手首を寝かせたらダメです。ロックしたまま離して、「ストレートを投げるぞ」という気持ちを忘れずにフォロースルーをしましょう。

投手と打者との距離のなかで、奥行きを使える球種なので、チェンジアップを自分のものにすれば有効な武器になりますよ。また、ヒジや肩に負担が掛からないと思いますし、奥行きを使う変化球なので高校生レベルの打者は簡単には打てないと思います。この変化球を覚えさえすれば、すごく有効な球種になると思いますし、自分の投球の幅もグッと広がると思いますよ。草野球などでも使ったらヤバイ変化球になる。もしかしたら完全試合もできちゃうんじゃないかな（笑）。

キレや制球を上げようとすればできる球種ですが、僕はこれでストライクを取ろうとは思っていません。試合ではまだ息抜き感覚で投げていますね。プロに入ってから覚え、07年くらいから投げ始めました。きっかけはメジャー・リーグでプレーするピッチャーが投げていて、ピッチングにおいてすごく有効なボールだと聞いたからです。皆さんもぜひチャレンジしてみてください。

NIPPONH

シンカー

薬指の使い方がポイント。シュートを投げるような意識で

FRONT

人さし指の指先を親指の第１関節あたりに付けてボールを支えるようにする。中指は縫い目に掛け、薬指は広げた形で第１関節を縫い目に掛ける。小指の指先の内側も縫い目に置くようにしてボールを握るのがポイント。

BACK

中指と薬指でしっかりボールを握る。薬指の付け根から第１関節に向けて徐々にボールを抜いていくことができるような感覚でボールを持つこと。

SIDE ↑

中指の指先を縫い目に掛け、薬指は第1関節を縫い目に掛けながら付け根まで縫い目に添うようにして置く。

投げ方・リリース

リストの動き

手首は外側に抜くように使いながら、意識は薬指に集中する。その薬指の内側を滑らせるようにボールを抜いていくイメージでリリースする。

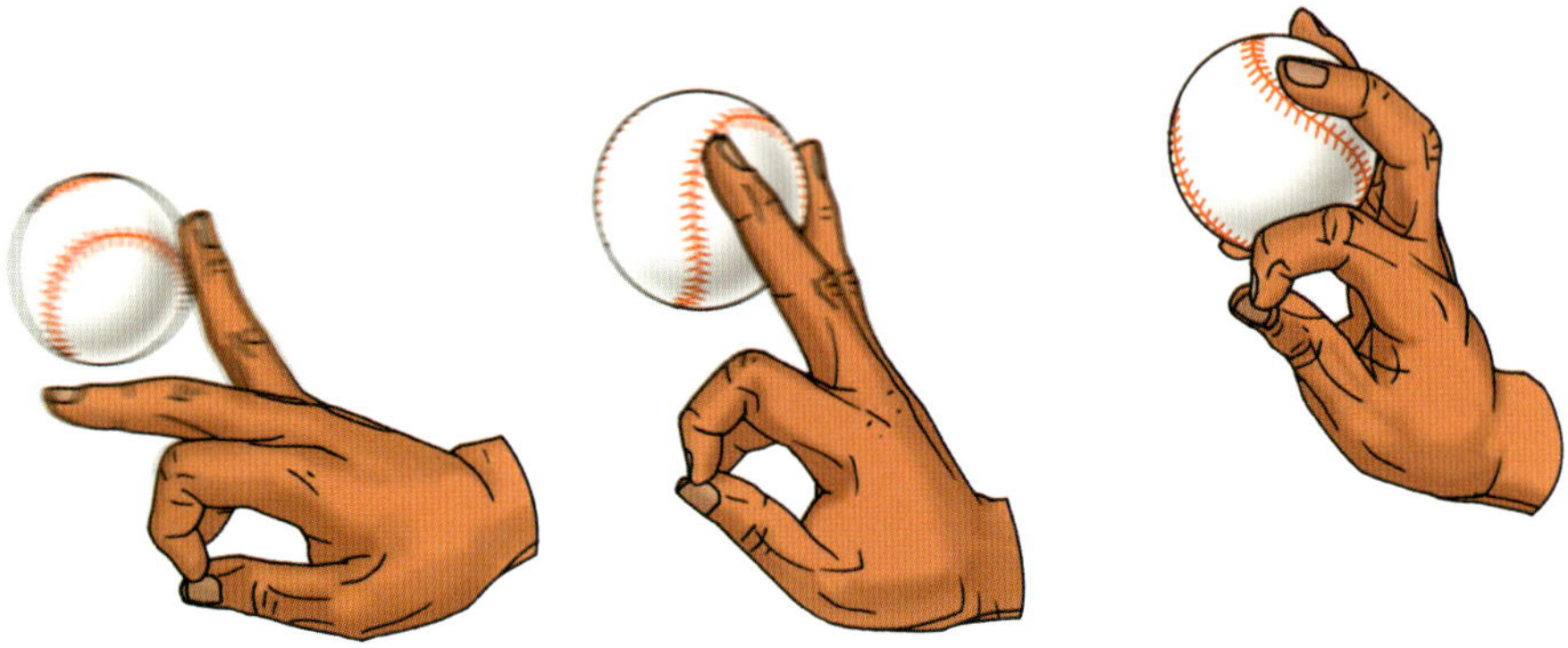

シンカーは、僕が持っている変化球のなかでは一番特殊な握りの球種ですね。シンカーというのは、スリークオーターやサイドスローの投手が投げる場合が多いのですが、オーバースローの投手が投げるというのは珍しいと思います。

この変化球を投げるときにコツがあるんです。それは普段はほかの球種を投げるときに使わない、薬指を有効に使うことです。ボールを握るときに薬指の第1関節あたりを縫い目に置き、薬指の内側を付け根側から指先に向けて順々に滑らせるようにボールを抜いていきます。

オーバースローから投げ込まれるシンカーの軌道は特有ですので、高校時代には打者のバットはクルクル回っていました。高校時代によく投げていた影響だとは思いますが、僕の右手の薬指は極端に曲がるようになってしまいました。

たぶん、掲載されているような投げ方は皆さんにはできないと思います。でも、遊びのとき、キャッチボールのときなどに試してもらいたいのでここで紹介させてもらいます。皆さんに一度は挑戦してもらいたいですし、投げられるようになったら連絡をください（笑）。この本をきっかけに、実際にこのシンカーをマスターして、主戦的な武器として駆使し、甲子園などで活躍する投手が出てきて欲しいで

腕の動き

薬指で投げる特殊な球種であるため、その薬指を動かしやすくできるよう、腕はシュートを投げるように、外側に腕を開くような振りをする。

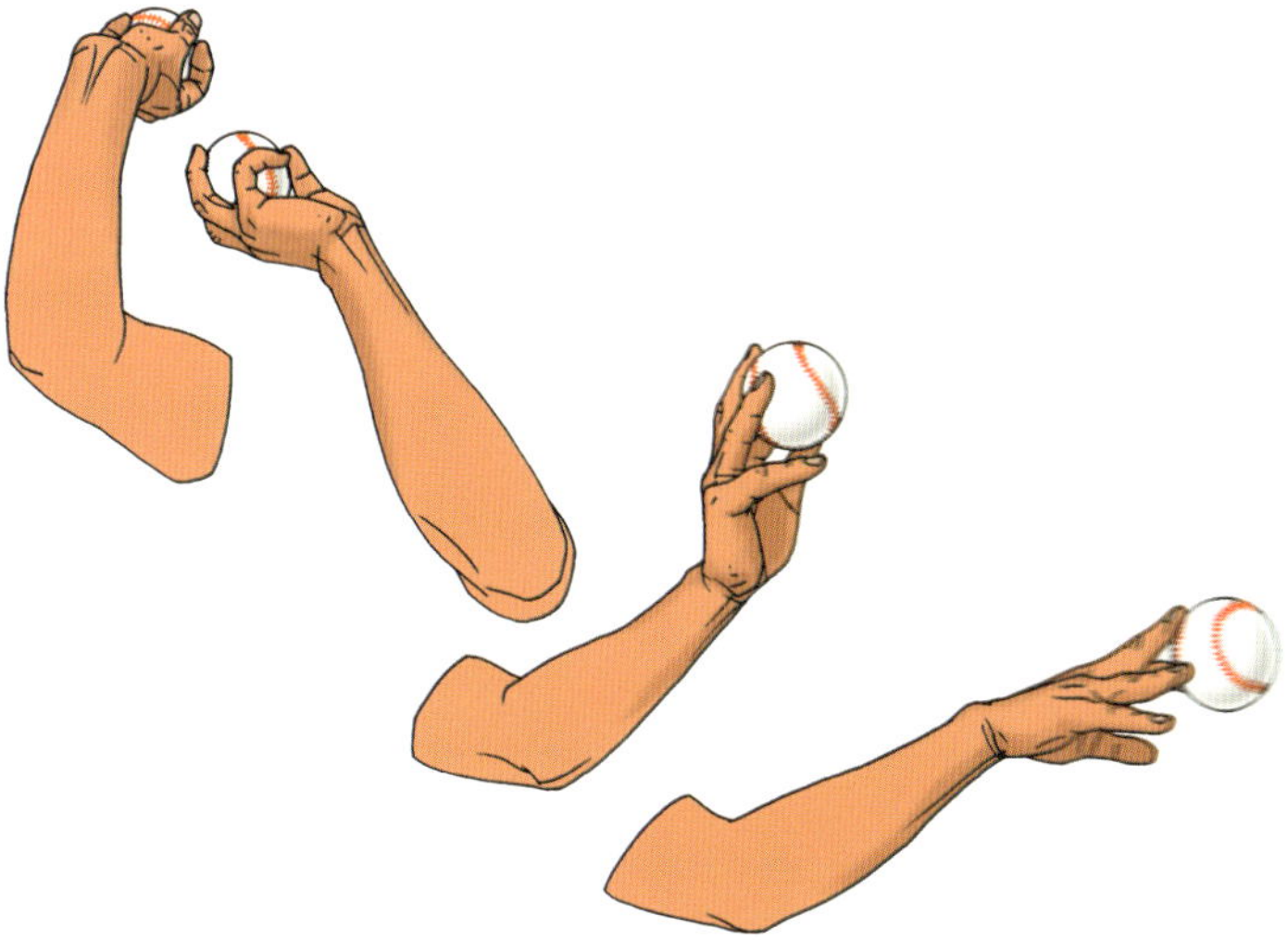

自己評価（5段階で採点）					
キレ	★	★	★	★	☆
制球	★	★	★	★	☆
完成度	★	★	★	★	☆

現在はほとんど投げていない球種なので高校生のときの自己評価です。今後使うとしたら、年をとって力が衰えたときですかね。伝家の宝刀として突然投げ始めるかもしれません(笑)。

すね。そのときは本物のシンカーかどうか、僕が見て判断させてもらいますよ。

シンカーは中学3年生のときから高校卒業まで投げていました。高校生のときなどは、調子が良い日は投げる前から空振りが取れると自信を持って投げていましたね。

現在は僕の持っている変化球の全体のバランスや、シーズンを通して1年間マウンドに立たなければいけないことを考えると必要のない球種ですので、試合では投げていません。

ワンシーム

リリースでは中指を押し出す 最後は“切る”感覚を大切に

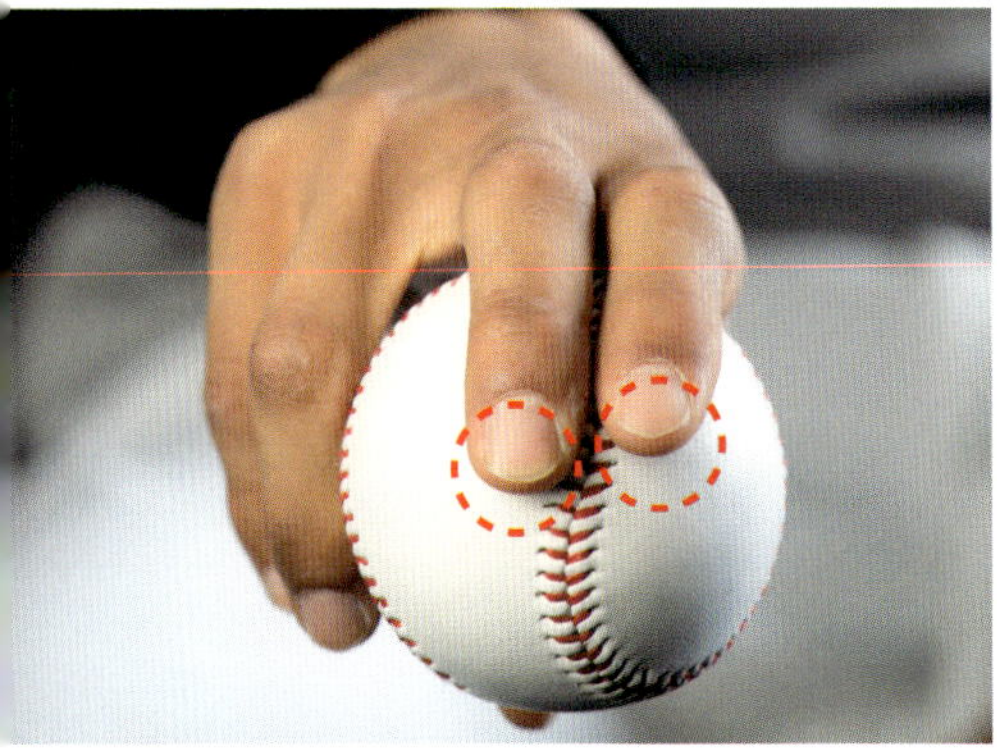

FRONT

深めに握って薬指と親指でボールを支えるように。

UP

人さし指と中指を１本のシーム（縫い目）に掛ける。

SIDE

１本線にすることをイメージしながら、シームの感覚を指でつかむ。

誌上 LESSON 10 ONE-SEAM FASTBALL

リスト&腕の動き

ストレートと同じように真っすぐに腕を振って、リリースの際は中指を押し出す。フィニッシュはボールを切る感覚を意識するのがコツ。

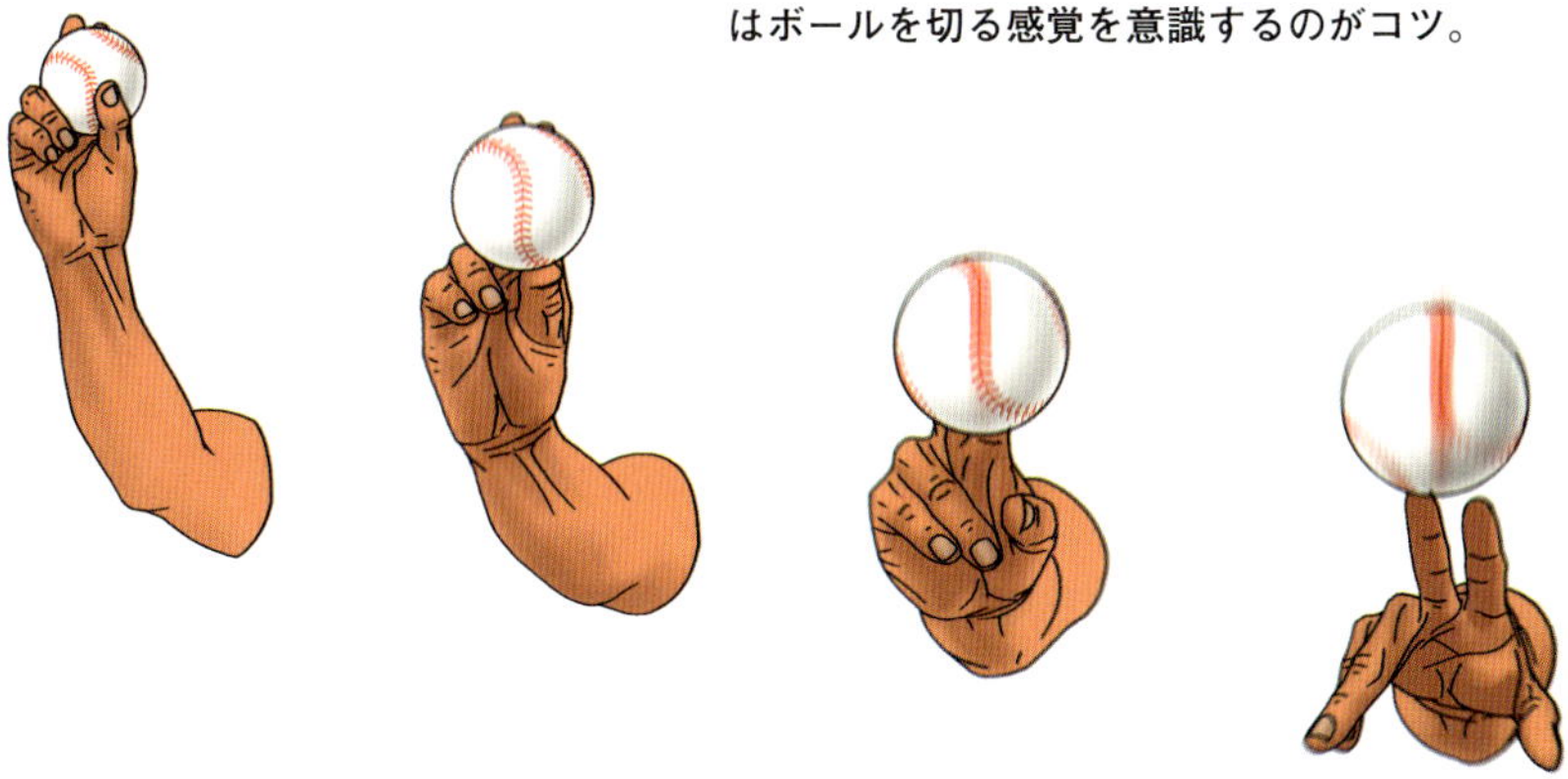

ワンシームという変化球の特徴はリリースした後のボールの回転が打者から見て、どれだけ縫い目（シーム）がキレイな1本線になるかが、最大のポイントになります。言葉で伝えるのはなかなか難しいですが、本当にバッターに向かっていく軌道の中でひとつの〝輪っか〟が回転しているように見える変化球なんです。

握りは、人さし指と中指を1本のシームにしっかりと掛け、深めに持ちます。あとはストレートと同じように真っすぐに腕を振ってください。リリースの瞬間は最後に中指を押し出す感覚で、本当に離すときにボールを〝切る〟イメージです。このときに少しでもひねってしまうとツーシームになってしまうので、注意が必要ですね。

コントロールをつけるときには、自分の曲げたい方向に指を少しズラして変化を付けます。例えばシュート気味に投げたかったら中指を少し下向きに倒すことで、右打者の内角に鋭く食い込んでくれます。また高めに投げれば伸びますし、低めに投げれば落ちていきます。

ただ、この変化球は見た目以上に修得が困難なボールです。かなりの上級者向けというか、プロの投手でもなかなか投げられないと思う変化球なので。本当にリリースのときにタイミングが少しでもズレてしまうと、ただのツーシーム、または力のない真っすぐになってしまいます。ですから、よっぽど指先の感覚がちゃんとしていないと投げることは難しいボールと言えるかもしれません。

でも、もしかしたらこの握りと投げ方がメチャクチャ合う人もいるかもしれません。投げるときにはとにかく低め、低めに投げることです。そうすればボールは絶対に落ちてくれますし、打ち取れる確率も高くなります。

効果的な練習法としてはベッドやソファーに寝ながらボールを上にポーン、ポーンと投げて、シームの回転を1本線にする感覚を養うことを僕はお勧めします。そういった日々の積み重ねが習得への一番の近道ですから。ぜひ、チャレンジしてみてください。

［週刊ベースボール2010年5月31日号・変化球特集より抜粋掲載］

ツーシーム

指は縫い目に掛けない。腕は無理にひねらないように

FRONT

人さし指、中指、さらに親指も縫い目に掛けないノーシームの形でボールを握る。

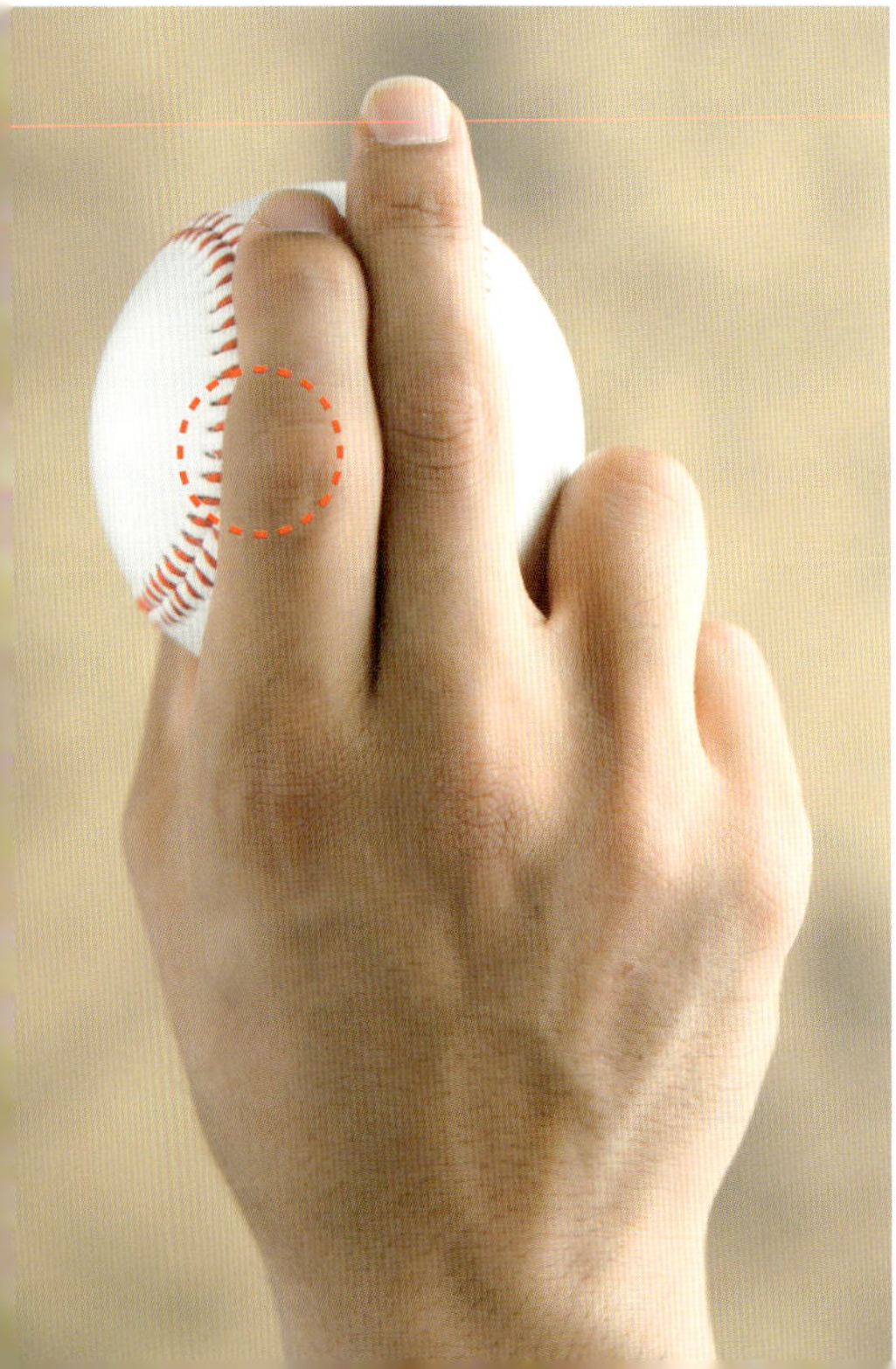

BACK

この写真では人さし指の第2関節を浮かすことを意識させるため、敢えて中指の指先をボールから離している。ただ、実際には中指の指先はボールに付ける。

SIDE ↑

中指は指先からきっちりボールを握るが、人さし指は指先でボールを握り少し第2関節を浮かせるようにする。

投げ方・リリース

リストの動き

手首を軽くロックする感じで投げる。ストレートと同じようにボールを切るが、それよりも少し重くする、遅くする感じでボールを切る。

最近はちょっと打者に対して遠慮しているので(笑)、制球は良くないですね。でも07年はほぼ満点と言ってもいい完成度でしたし、08年のクライマックスシリーズの西武戦はすべて5つ星を付けていいぐらい良かったと思います。

自己評価（5段階で採点）

キレ	★	★	☆	☆	☆
制球	★	★	★	☆	☆
完成度	★	★	★	☆	☆

腕の動き

意識してシュート回転を掛けるので腕はひねらず、外側に開くように意識する。腕の動きはあくまでもストレートと同じように投げるのがコツ。

ストレートほどスナップは利かせないで、手首を軽くロックする意識で腕を振る！

僕の投げるツーシームは、投げるときに中指と人さし指を絶対に縫い目にかけない〝ノーシーム〟の握りでツーシームと同じ軌道を作り上げているのが一番の特徴と言えます。特に人さし指は第2関節とボールの間を少し空ける感覚。人さし指だけが少し浮いた状態でボールを握っています。

投げるときはシュート回転を掛けるんですが、腕を無理にひねるようなことはしません。意識的に「右打者の内角に投げ込む」ようにしながら、しっかり内角を狙って投げています。僕の場合はあくまでノーシームの握りで、ストレートと同じような腕の振りで投げることによって、少しシュート回転が掛かります。それで自然と内角に食い込む感じになりますね。

投げ方はストレートとまったく同じですが、ストレートのようにスナップを目いっぱい利かせることはしないで、軽く手首はロックする感じで投げています。ストレートはビューンというイメージで手首を利かせますが、それを少し重くする、遅くする感じでリリースしてください。

ワンポイントアドバイスをするなら、この球種は打者に、投げた瞬間に「あっ！ストレートの腕の振りだ」と思わせ、打者が打ち出す瞬間まで「ストレートだ」と錯覚させることが大事です。そう思わせて打者がストレートと思ったときに、ピュッと内角に食い込み詰まらせるという球種なんです。だから皆さんも「大きく曲げるぞ」というような意識は持たずに「これはストレートなんだぞ」と思って投げることが大切なんです。

日本ハムに入団して1年目、一軍初登板の試合前にブルペンでピッチング練習をしているときにツーシームの投げ方を偶然発見したんです。その後、試行錯誤しながら最終的にいまの握りと投げ方になったんですけど、覚えたてのころはあまり投げなかった。本格的にツーシームを投げ始めるようになったのは3年目からです。最初は左打者限定で投げていましたが、07年あたりからは左右の打者関係なく、状況に応じて投げています。

でも、本当にツーシームという球種はピンチのときによく投げて、僕を助けてくれています。しかし、キレが良過ぎてしまうので難しい。なので、最近は投げる頻度を減らして「この試合だけは絶対に落とせない」と思ったときにだけ投げるくらいですね。

08年のクライマックスシリーズの西武戦（西武ドーム）でこのボールを多投しましたが、このときが僕のなかでのキレがマックスで最高のピッチングだったと自負してます。あと、聞いたところによると、僕のツーシームはシュートしながら伸びてくるらしいんですけど、それがツーシームの理想形だと僕は思っています。

気合が入っているときは、この球種はとにかくキレも威力も絶大のボールになります。だから今後も重要な試合だと思ったら、ガンガン投げようと思っています。

DARVISH
11

ストレート

縫い目にしっかり指を掛け、リリースは中指に意識を置いて

FRONT

人さし指、中指とも指先を縫い目に掛け、リリース時にボールにこの２本の指に力が加わるように均等に持つ。親指はボールを支える感覚で軽めに持つのがポイント。

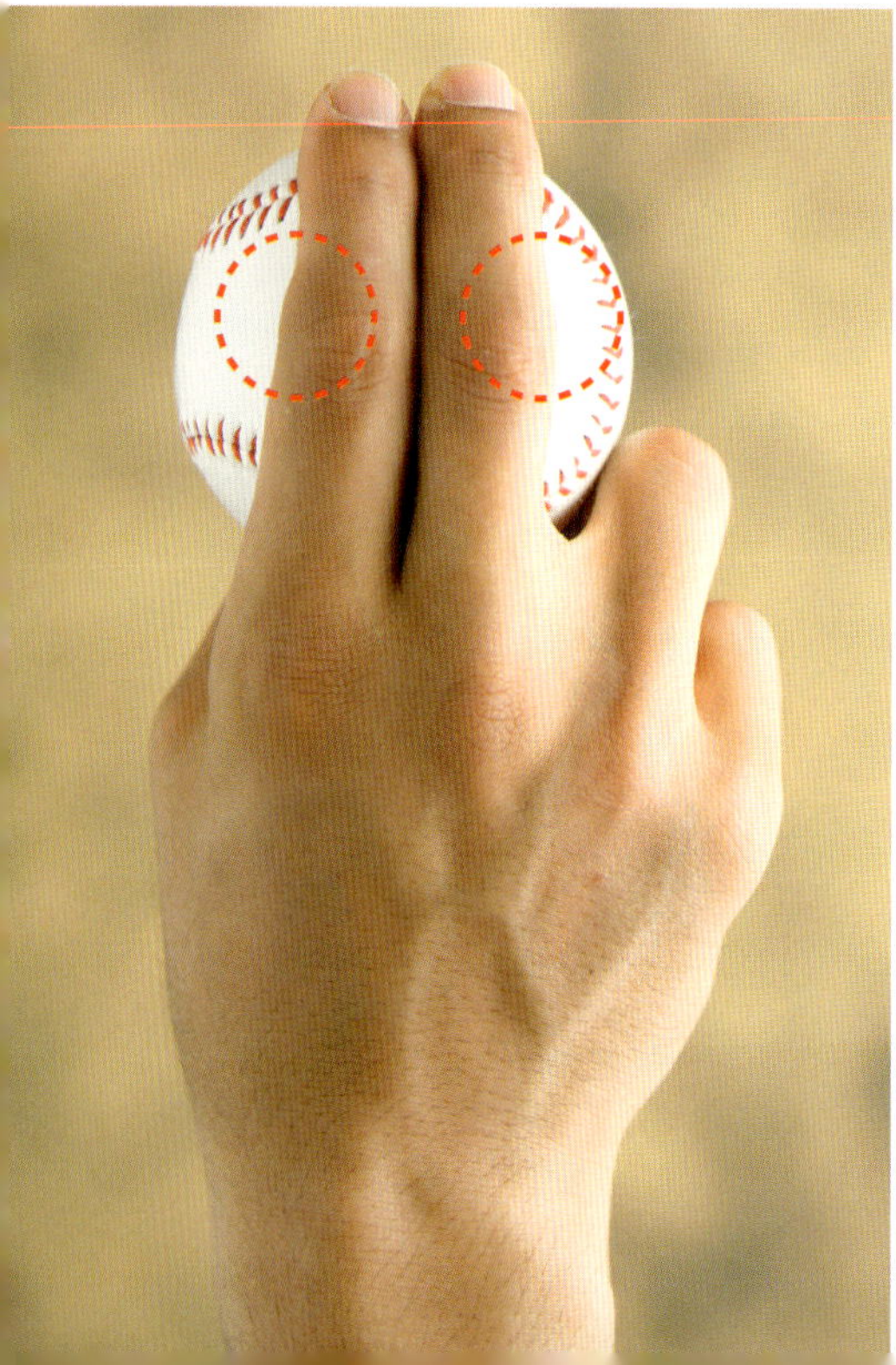

BACK

後ろから見たときに人さし指、中指は添え、リリース時に思い切りのこ２本の指でボールを切ることができるようにするために、ボールの中心を握る。２本の指はつける。

SIDE ↑

ボールの縫い目が右上がりの方向に従い、人さし指、中指を縫い目に掛ける。親指と手首は一直線になるようにする。

投げ方・リリース

リストの動き

縫い目にきっちりと人さし指、中指を掛けることで手首が利くようになる。中指を最後に押し出しながら最後にボールを切る感じで投げる。

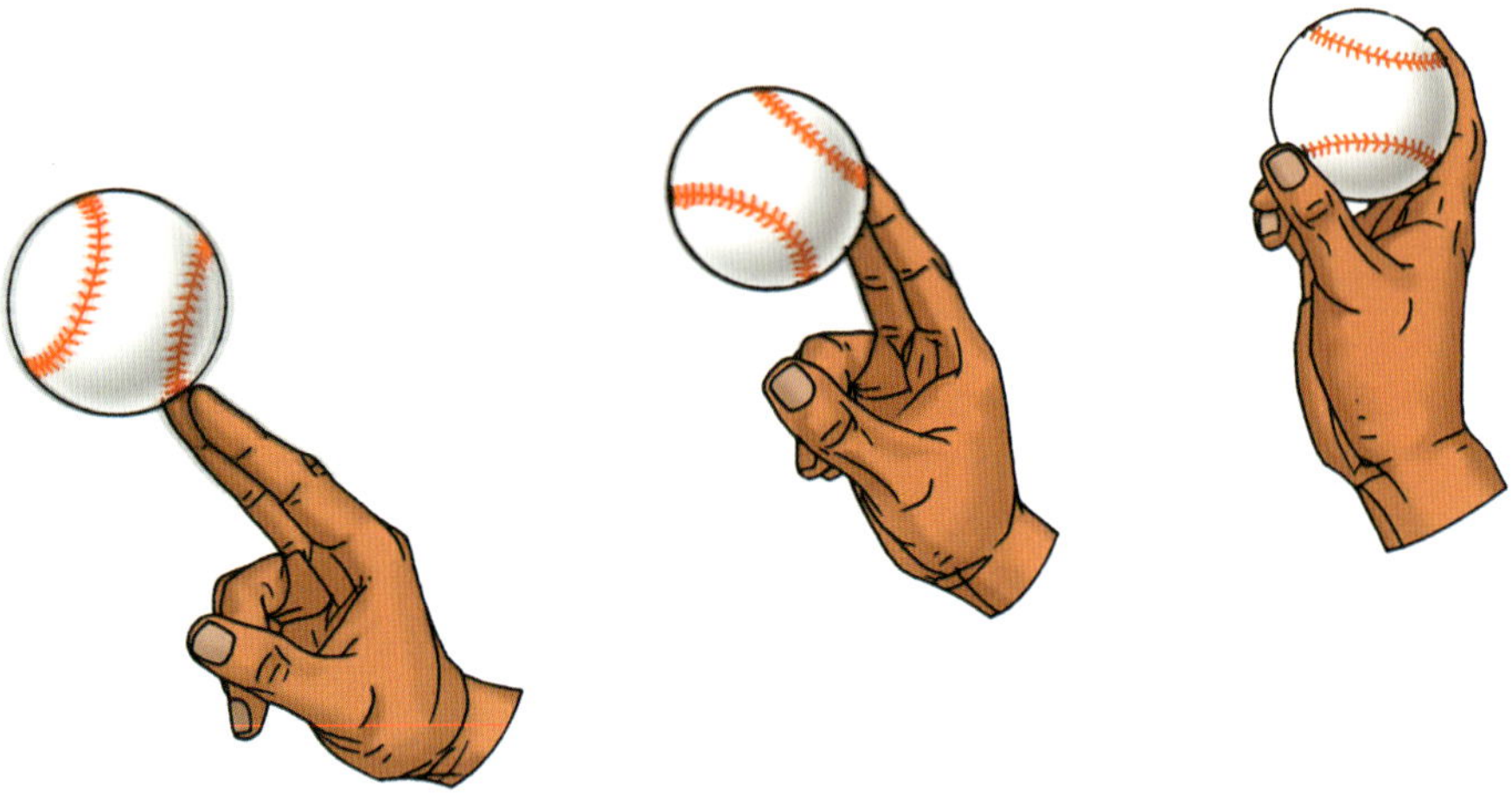

ストレートを投げるときには、体全体に力が入ってしまうと腕の振りが鈍くなります。だからいつも体と腕の力を抜いて、リリースのときだけ指先に力を入れることを心掛けてください。それと投げる直前に「このバッターは内角が強いからシュート回転しないように外角にきっちり投げよう」というようなテーマを持って投球の始動をしてください。それ以外のことはまったく考えないことです。

　もちろん縫い目にはしっかり指を掛けて投げてください。僕の握りは、縫い目が右上がりになっているほうに中指を置きます。人の体というのは必然的に人さし指は中指よりも短い。だからその体の作りを生かし、右上がりの縫い目に合わせ、ボールを握るのがポイントです。そのほうが絶対に指先にきっちり、しっくり握れますよ。その逆の左上がりの縫い目に指を置いた握りで投げるストレートはおすすめできないですね。

　リリースは中指を最後に押し出しながら最後にボールを切る感じで投げて、キレイな回転を掛けることを心掛けてください。その回転を掛けるためには、キャッチボールのときからそれに注意してください。遅く投げて、自分で確認するのも良いですし、キャッチボール相手に声を掛けて一球一球回転を見てもらうのも上達のコツ。そのなかから一番キレイ

誌上 LESSON 12 FOUR-SEAM FASTBALL

腕の動き

真っすぐにホームベースに向くように腕を振ること。体と腕の力を抜いてリリースのときだけ指先に力を入れることを心掛ける。

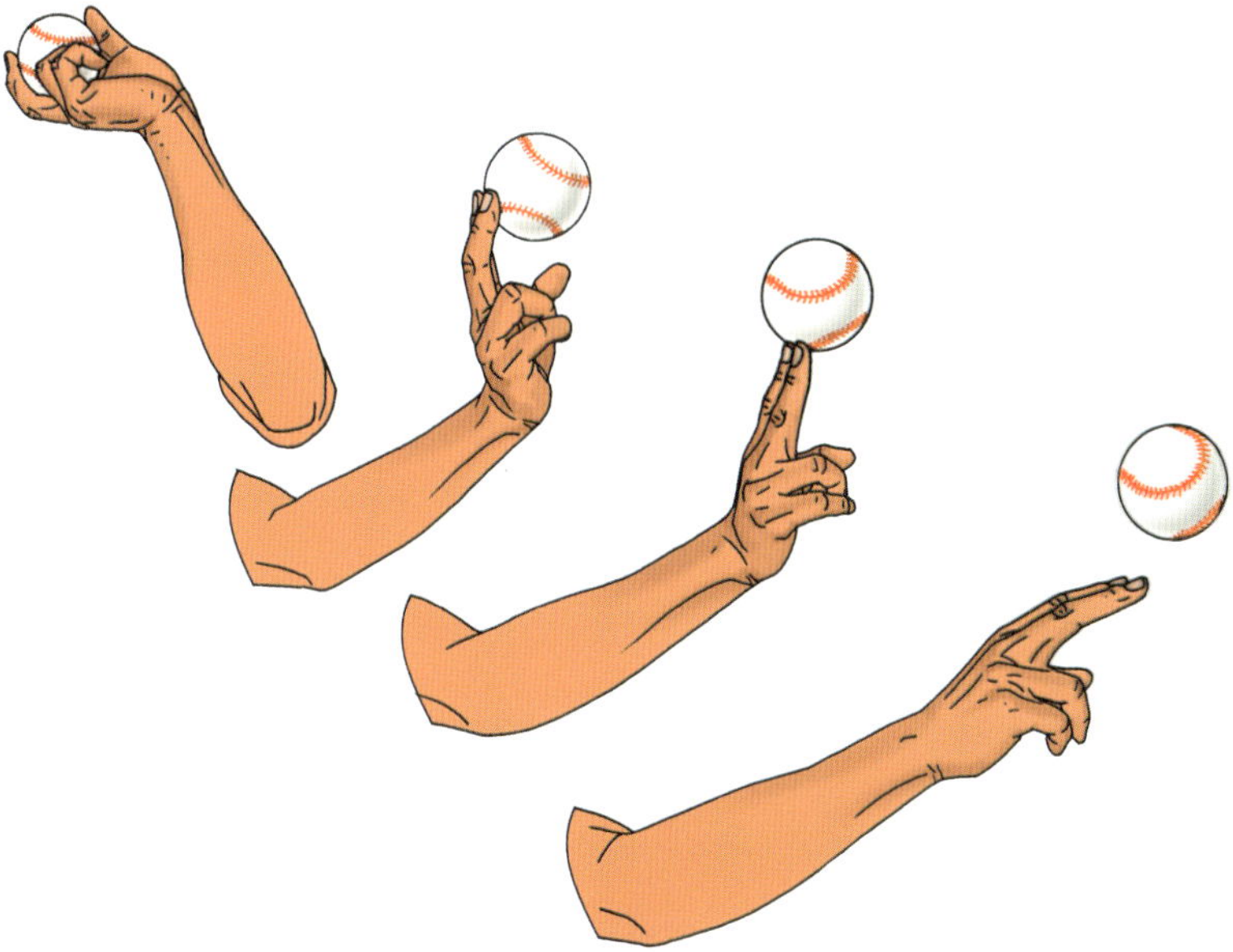

自己評価（5段階で採点）

キ　レ	★★★★☆
制　球	★★★★☆
完成度	★★★★☆

ストレートに関してはスピード、キレ、制球はまだまだ上げられると思っています。これが上がればすべての変化球も必然的に良くなっていきますから。だから自分にまだ5つ星は付けたくないんです。

な回転を見つけ、そのとき投げた感覚を思い出しながら身に付けるように練習しましょう。それを続けることでより良い回転のストレートが投げられるようになるはずです。

僕はストレートを投げないと試合が始まらないと思っていますし、ストレートあっての変化球だと思っていますので、皆さんにはこの球種をまず磨いてほしいですね。速くなくてもいいんです。キレイな回転をボールに与えることと、キレを出すことを大前提に考えて練習してみてください。

part 3

言葉から探る パーフェクトマシーンの胸の内

ダルビッシュ有の
Consideration Of Yu Darvish
投球概念

細心で緻《ち》密な投球のなかにも、豪胆さ、豪快さを感じさせるダルビッシュ有の投球。
1つの言葉で表すことが不可能であること自体が、彼の投球の奥深さを象徴している。
変幻自在――投手として多くの引き出しを持っているのは、
テクニックの部分だけではない。メンタルな部分の選択肢の多彩さを、
彼が語る言葉から読み解く。

持論ですが、
（変化球は）ブルペンで練習するよりも
実戦で試した方が
絶対に身に付くと思います

〔変化球バイブル2009年より〕

ボールの形や重さ、
地球の重力は
これからも
変わらないから、
新しい変化球は
もう生まれない

〔週刊ベースボール2010年5月31日号より〕

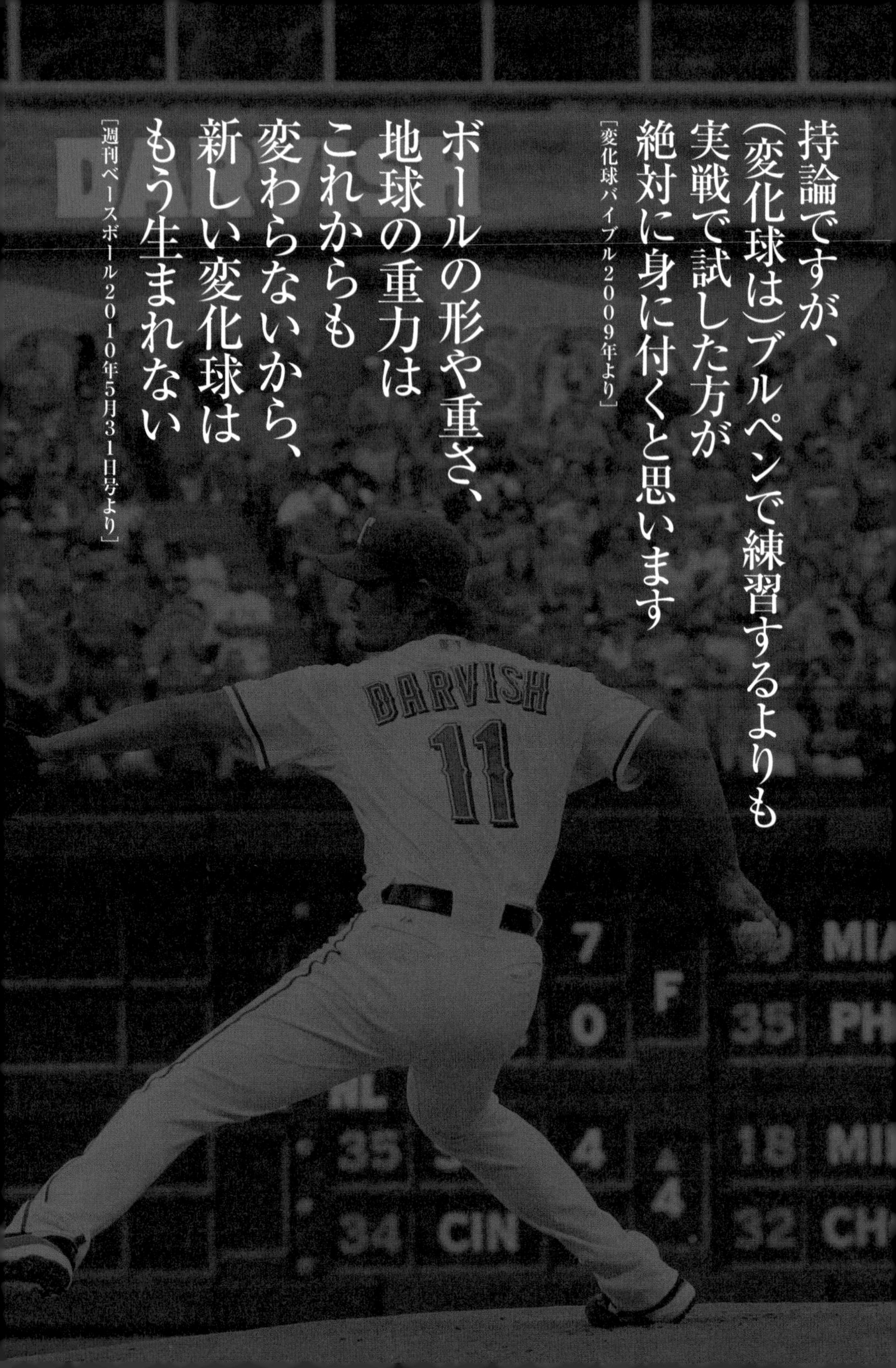

野球は考えれば考えるほど、
楽しく簡単になる

［週刊ベースボール２０１０年5月31日号より］

（素顔は）とにかく細かくて…
みんなが思っているより
メチャクチャしゃべる、マジメな人です（笑）

［週刊ベースボール２０１１年11月7日号より］

「ストレートが良い」は
変化球のキレにも直結してくる

［変化球バイブル２００９年より］

ダルビッシュ有の
Consideration Of Yu Darvish
投球概念

Theme 1
変化球

「まったく新しい変化球を生み出すのは無理です」

変化球に関しては、球種を増やそうとか、新しいボールを生み出そうとかそういう風には思わなくなりましたね。この本の中身がすべてというか、これがもうスタンダードな形なので。もちろん同じスライダーでもタテとヨコ以外にもまだまだ握り方、投げ方、指先の感覚ひとつで3段階にも、4段階にもバリエーションを増やすことは可能かもしれませんけど、ボールの形や重さ、地球の重力が変わらない限りまったく新しい変化球を生み出すのは無理です。少し夢のない話になってしまいますが。仮に誰かが投げ始めてもそのボールはシュート系やフォーク系といった必ずどこかの変化球のカテゴリーには入りますからね。でもいろいろな変化球を覚えることはピッチングを楽しくしてくれますし、精度やキレといった部分ではさらにレベルアップさせていきたいとは思っています。

Theme 2
野球

「『野球は人生』って言う人もいますけど、そういう感覚でもないんです」

野球……野球……ヤキュウ……。小さいころからの夢であり、楽しいものですかね。もし、それがなかったらって漠然と考えるときもありますけど、答えは分からない……。ほかに何をしていたかも想像もつかない。よく「野球は人生」って言う人もいますけど、そういう感覚でもないんです。なんだろう、本当に。いつか分かるときが来るんですかね。

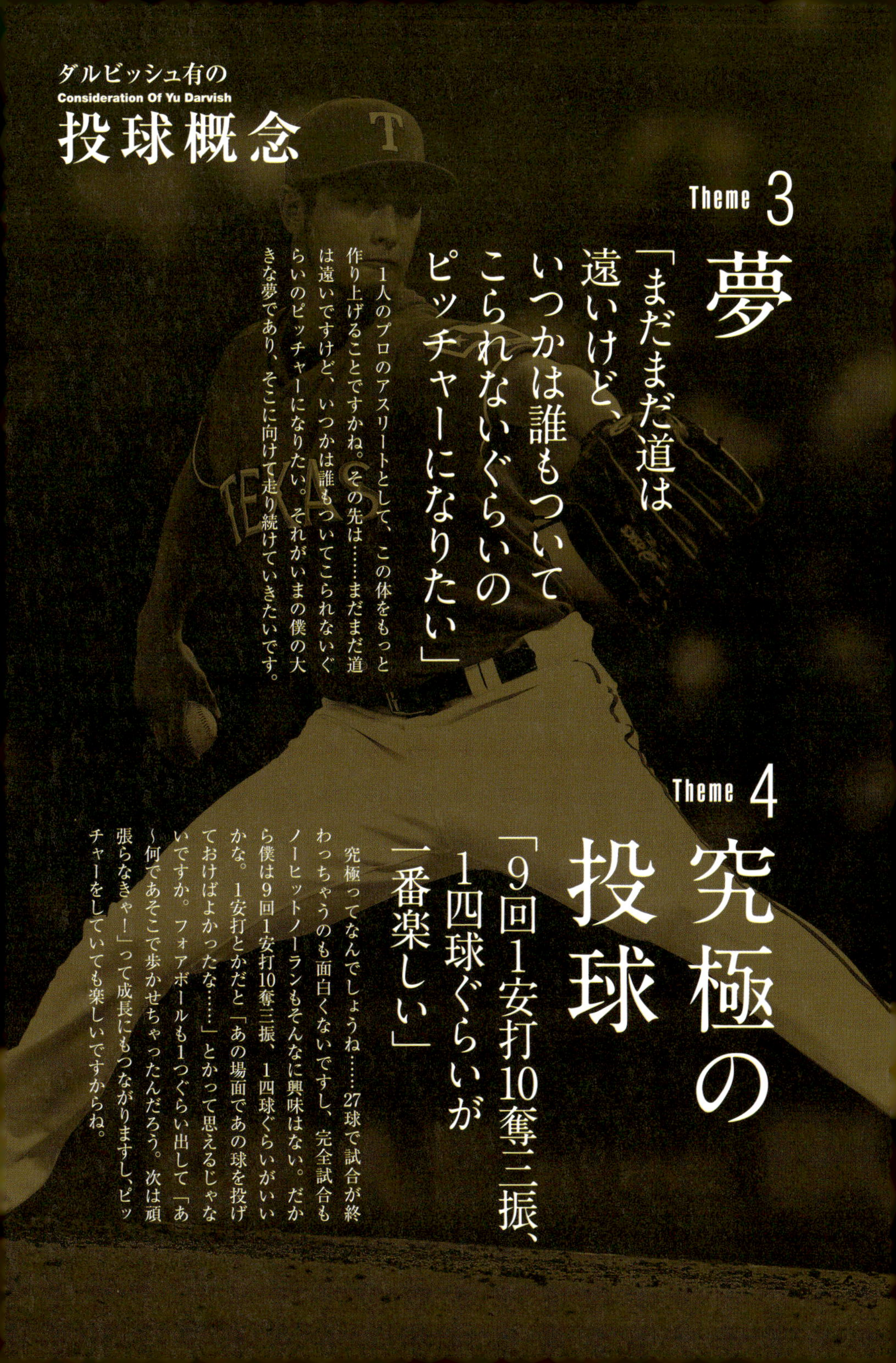

Theme 3 夢

「まだまだ道は遠いけど、いつかは誰もついてこられないぐらいのピッチャーになりたい」

1人のプロのアスリートとして、この体をもっと作り上げることですかね。その先は……まだまだ道は遠いですけど、いつかは誰もついてこられないぐらいのピッチャーになりたい。それがいまの僕の大きな夢であり、そこに向けて走り続けていきたいです。

Theme 4 究極の投球

「9回1安打10奪三振、1四球ぐらいが一番楽しい」

究極ってなんでしょうね……27球で試合が終わっちゃうのも面白くないですし、完全試合もノーヒットノーランもそんなに興味はない。だから僕は9回1安打10奪三振、1四球ぐらいがいいかな。1安打とかだと「あの場面であの球を投げておけばよかったな……」とかって思えるじゃないですか。フォアボールも1つぐらい出して「あ～何であそこで歩かせちゃったんだろう。次は頑張らなきゃ！」って成長にもつながりますし、ピッチャーをしていても楽しいですからね。

Theme 5

肉体改造

「結果には興味がない、そこにたどり着くまでの過程の方が大切」

肉体改造して筋力がついたことでボールのスピードも出るようになりましたし、全体的にパワーアップはしたのかなとは思います。

僕には目指しているものがあります。それがなんなのかは……話していくと本当にもうキリがない。それこそすべてのボールをもっと良くしていきたいですし、コントロールだってもっと向上させたい。上を見たら終わりなんてない。だから僕は最終的には〝プロ野球選手以上〟のレベルまでいければと思っています。野球だけじゃなく、どんなスポーツをやらしてもすごいと言われるぐらいのアスリートに。

才能だけでやって満足している人もいますけど、それではそこで終わってしまう。大切なのはそこからいかに努力できるか。どんなタイトルもうれしいことはうれしいですけど、自分の中で達成感みたいなものはない。結果には興味がないというか、それよりもそこにたどり着くまでの過程の方が大切なので。だから現状での終着点は野球選手の枠に収まらない、真のプロフェショナルなアスリートになることですかね。

Theme 6

メンタリティー

「緊張するなんてことはこれから先も分からないし、ないと思います」

マウンドに立っているときはスイッチみたいなものが入るというか……周囲の方からも試合のときは違う人みたいってよく言われますね。なんて言ったらいいんでしょう……マウンドに立つと別の人格になるんですよね。普段は冷めていて、あんまり感情が表に出ないんですけど、マウンドでは嫌なときは嫌な顔をするし、うれしいときはわき上がってくるものをウァ～って出す。それでマウンドを降りたら、あんまり何をやっていたか覚えてない（笑）。

それと自分をよく見せようとか、あんまり思わないですね。自分以上のものを見せようとするからつらくなるし、緊張もする。あとは試合に向けてちゃんと準備さえしておけば何も恐れることはないですから。だから、僕には緊張するなんてことはこれから先も分からないし、ないと思います。

Theme 7

三振

「三振でも内野ゴロでも同じです」

（こだわりは）あんまりないですね。とにかく相手のバッターを抑えることしか考えてないですから。三振でも内野ゴロでも同じです。ただ、場面によっては三振を奪いにいくことはもちろんありますけど。

世界を席巻するスーパー右腕が
独自の調整メニューの
全貌を本邦初公開！

さらなる進化を遂げるスーパー右腕が
本誌だけに明かした本邦初公開のオリジナル調整メニューと、
次代を担うピッチャーたちへの秘めたる思い。
世界一のピッチャーを目指し、灼熱のテキサスで奮闘する
最強右腕が独自の投手論を語り尽くす。

日本のピッチャーの方にもぜひ試してほしい調整法

——それではさっそく調整法の話題から。メジャーでは「中4日」での先発登板が多いですが、その期間にどんなメニューで練習しているのかをまずは教えていただけますか。

ダルビッシュ　いいですよ。詳しくは別に掲載していただく表を見ていただきたいのですが、最大のポイントは登板の翌日にあります。日本だったら基本的に投げた次の日は有酸素運動、軽いジョギング、ウエートをやって終わりでしたけど、メジャーに来てからはそれをやめました。このメニューはコーチからも「お前はスペシャルだ」って言われるほど独自に作ったものなんですけど、日本のピッチャーの方たちにもぜひ試してほしいメニューなのでご紹介しますね。本邦初公開です！（笑）。

——おっ、いいですね（笑）。調整法に関してはこれまでもあまり語られていなかった部分ですから、興味がある方も多いかと思いますので。

ダルビッシュ　じゃあ、さっそく**【1日目】**からいきましょうか。まずは200メートルぐらいのランニング&球場の階段20段を駆け上がるダッシュを6~8本やります。その後にストレッチをして、今度は左で60～70メートルぐらいの距離、右は塁間ぐらいでのキャッチボール。それからバイクなどの有酸素運動ですよね。これは時間にしてだいたい30分ぐらい。最後に体幹トレーニング（コンディションによって2日目にやる場合もあり）というのが1日目のオーソドックスな流れです。

——登板翌日にしてはかなり走るメニューが組み込まれているんですね。

ダルビッシュ　そう、そこが日本でやっていたときとは違う部分なんですよね。でも、この日にガツンと体を動かして汗をたくさんかいておくことで疲れも取れますし、2日目以降の体がまったく違ってくるんです。

——続いて**【2日目】**は？

ダルビッシュ　この日はブルペンに入ります。球数は40球ぐらいですかね。その後は室内でスピニングバイクを30分やるか、または外野のポール間の4分の3ぐらいの距離を10本走ります。

——スピニングバイクとは？

ダルビッシュ　これは競輪選手や格闘家の方がトレーニングで使うバイクなんですけど、メジャーのチームでも使っているのはもしかしたらレンジャーズだけかもしれません。ウチのトレーニングコーチが導入したものらしくて、僕もこっちに来て

ダルビッシュ有オリジナル
中4日登板の調整メニュー

▶ 1日目（登板翌日）

・**ランニング**（200メートルくらい）**～階段ダッシュ**（20段1本×6～8本）
・**ストレッチ**
・**キャッチボール**（左で60～70メートルくらい、右は塁間くらいの距離でOK）
・**有酸素運動**（30分）
・**体幹トレーニング**（＊1日目か2日目のどちらかで）

▶ 2日目

・**ブルペン**（目安はだいたい40球程度）
・**スピニングバイク**
（※酸素を吸いにくくするマスクを着けて30秒全力でこぎ、次に30秒軽くこぐ×12セット）
または「ポール間走」（外野ポール間の4分の3（150メートルくらいの距離）×10本）
・**上半身のウエートトレーニング**
＊1日目にやらなかった場合はこの日に体幹トレーニングを行う

▶ 3日目

・**下半身のウエートトレーニング**
・**体幹トレーニング**
＊グラウンドには出るが右では投げない。左で軽く投げる程度。右肩を完全に休ませる日

▶ 4日目

・**キャッチボール**
・**ランニング**（塁間ぐらいの距離を9本）
・**短距離ダッシュ**
（右向き・左向きでスタート、右足からスタート・左足からスタート、
ジャンプを3回してからのスタート　計3×3＝9本）
＊ウエートトレーニングはしない日

「登板翌日にどんなメニューで、どんな練習をするのか。
そこでの取り組み方でピッチャーの肉体は大きく変わってくる」

登板翌日にとにかく汗を出して追い込む。そうすることで２日目以降の調整が楽になるとダルビッシュは語るやるようになりました。そこでもポイントがあって、ただバイクをこぐだけではなくて、酸素を吸いにくくする特製のマスクを着けてやるんです。それを30秒全力で思いっきりこいで、今度は30秒軽くこいでというのを交互に繰り返して合計12セットやります。マスクの効果で汗もすごくかきますし、昔から普通に走るのがあまり好きじゃなかった僕にはこういうメニューの方が合っているのかなと（笑）。あとは上半身のウエート。とにかく筋肉全体に刺激を入れることを意識しながらです。

――1日目、2日目はかなりハードに追い込んでいるのが分かりますね。

ダルビッシュ　そうなんですよ。それで【3日目】は逆に軽いメニューになります。この日は下半身と体幹トレーニングのみです。

――キャッチボールもしない？

ダルビッシュ　しません。グラウンドには出ますけど、まったく走らないですし、右では絶対にキャッチボールはしない。理由はこっちは中4日が続きますし、どこかで肩を休ませないといけない。それで3日目はもう完全休養日にします。ただ、僕は投げることが好きなので、その欲求を満たすためだけの左でのキャッチボールはしますけど。

――キャッチボールすらもやらないのはかなり珍しいことですよね。

ダルビッシュ　こんなことしているのは日本でもメジャーでも僕だけじゃないですか（笑）。他のピッチャーは投げていますけど、とにかくケガをしたくないので投げない。さらに厳密に言えばこの日は右肩すらも極力動かさないようにはしています。

――なるほど。それでは登板前日となる【4日目】は？

ダルビッシュ　この日は普通に右手でキャッチボールをして、塁間ぐらいの距離のランニングを9本走ります。終わったら短距離ダッシュ。その際に右向き・左向きでのスタート、今度は右足からのスタート、左足からのスタート、最後にジャンプを3回ぐらいしてからスタートと動きにいろんなバリエーションを付けて、それらを3×3の9本やって終わりです。ウエートはしません。あと登板当日に関しては、ストレッチをして、キャッチボール、ブルペン、またストレッチしてマウンドに向かうのが基本的なルーティンです。かなりここまでマニアックな内容になってしまっていますが（苦笑）、これが僕の調整メニューの全容です。中4日だからとか、メジャーだからとかだけではなく、登板翌日に体をとことん追い込むところなんかは日本の中6日に当てはめても同じような効果が得られるはずですし、将来的にメジャーでプレーしたいと思っているピッチャーの方たちにはすぐに実践してもらいたいメニューです。本当に体が全然違ってきますから。

――これが【中5日】だとメニューはまた全然違ってくるのでしょうか。

ダルビッシュ　いや、中5日の場合でも基本的に大差はないですよ。でも決定的に違うのはブルペンの日が2日目から3日目になっているぐらいです。あとは登板翌日に激しいトレーニングをすることや、利き手を動かさない日をどこかで設けるところは同じです。ただ、こうした調整法やトレーニングはこの先もどんどん改良され、日々進化していくものですから、これはあくまでも現段階で僕の中で流行しているメニューとして考えていただければと。もし、これよりもっと良い調整メニューやトレーニングのやり方が見つかったら、また『週べ』でお伝えしていきますね（笑）。

コンディショニングコーチの地位をもっと高めるべき

――ピッチャーのトレーニング論についても聞かせてください。過去にも日米のトレーニングへの意識の違いについては何度か言及されてきていますが、それはやっぱりこっちにいると顕著に感じる部分ですか。

ダルビッシュ　それに関しては考え方の違いとしか言えないですね。日本ではウエート・トレーニングで筋肉を付けると「身体が重くなる」「スピードも遅くなる」と言われたりしていますが、こっちはまったく逆の考え方ですから。トレーニングをすればスピードだってつきますし、ケガもしなくなる。それは昔からずっと根づいてきている環境や考え方の差なので、そこをすぐに変えていくのは容易なことではないですよね。ただ、方法はないわけではない。そのひとつにコンディショニングコーチの地位を各球団がもっと上げてあげることです。

――それは具体的に言うと？

ダルビッシュ　まずはコンディショニング以外の他のコーチに、その分野に関しては現場では介入しない体制を作ることです。各コーチには技術的なことだけを指導するシステムを構築するというか。なぜなら、いまはほかのコーチの力の方がどうしてもコンディショニングコーチより強くなってしまっていて、後者のコーチが「今日はこの選手は疲れているから走る本数を減らそう」と考えていても、ほかのコーチがまた別のところで「走り込みが足りないから、いまから100メートル《メートル》を10本走れ」と言っ

ダルビッシュ有オリジナル
中5日登板の調整メニュー

▶ 1日目（登板翌日）

・**ランニング**（200メートルくらい）～**階段ダッシュ**（20段1本×6～8本）
・**ストレッチ**
・**キャッチボール**（左で60～70メートルくらい、右は塁間くらいの距離でOK）
・**有酸素運動**（30分）
・**体幹トレーニング**（＊1日目か2日目のどちらかで）

▶ 2日目

・**スピニングバイク**
（※酸素を吸いにくくするマスクを着けて30秒全力でこぎ、次に30秒軽くこぐ×12セット）
または**「ポール間走」**（外野ポール間の4分の3（150メートルくらいの距離）×10本）
・**上半身のウエートトレーニング**
＊1日目にやらなかった場合はこの日に体幹トレーニングを行う
＊この日はブルペンには入らない

▶ 3日目

・**ブルペン**（目安はだいたい40球程度）
・**ランニング**
・**スピニングバイク**
（※酸素を吸いにくくするマスクを着けて30秒全力でこぎ、次に30秒軽くこぐ×12セット）
または**「ポール間走」**（ポール間の4分の3（150メートルくらいの距離）×10本）
・**上半身のウエートトレーニング**

▶ 4日目

・**下半身のトレーニングのみ**
＊何も走らない、何も投げない。右肩を完全に休ませる日

▶ 5日目

・**軽いキャッチボール**
・**ランニング～短距離ダッシュ**
（右向き・左向きでスタート、右足からスタート・左足からスタート、
ジャンプを3回してからのスタート　計3×3＝9本）
・**軽めのトレーニング**（肩とヒジだけ）
＊ウエートトレーニングはしない日

たりしてしまうケースもある。それで選手のコンディションはどれだけ変わってきてしまうかということです。だからこそ、球団が主導権を握ってコンディショニングコーチにもっと責任と権限を持たせ、ほかのコーチは口出しできなくするルールを設けることが必要だと思います。そうしないとコンディショニングコーチも本当にやりたいことが出来ないですし、日本のトレーナーのレベルも上がっていかないですから。

――まずは選手を育てる周囲の環境から整備し、変えていかないといけないということですね。

ダルビッシュ　もう本当にそのとおりで、二軍なんかも最初から投げさせたりしないで、高卒のピッチャーなどは最初の2年間はちゃんとしたトレーニングプログラムを作ってやらせてあげる方が長いスパンで考えたときに絶対にいいと思うんです。その際に日本だけでなく、アメリカをはじめとした世界のトレーニングの情報を球団がもっと取り入れて、それを基にコンディショニングコーチとミーティングを重ねてメニューを作り上げていく。さらに1週間でこのトレーニングを消化しなければ全体練習にも参加できないようにするとか。そうすることで選手も一生懸命にやりますし、結果的にケガをしにくい強い体にもなりますから。

さらに付け加えるなら、日本の高校野球なんかもピッチャーが投げられるイニング制限を作ればいいと思います。3年生だったら7回、2年生だったら6回、1年生だったら5回までとか。そうしたらまだ体が完全に出来てないピッチャーの体も守れますしね。それも急にすべてを変えるのは難しいでしょうから、例えば「7年後の2020年からこうします」と決めればいい。それは甲子園大会だけでなく、各県の予選や練習試合とかでもしっかり高野連が管理して報告させるようなシステムを作る。なんでもすぐに全部は無理なので、目の前の出来ることから少しずつ何かを変えていくことで日本の野球はもっと強くなれる可能性を秘めていると僕は思っています。

――こっちに来てもいろんなことを考えてやられているんですね。元来、黙っていられない性分なんでしょうけど、その意見はすごく貴重なものだと思います。そうしたら良いピッチャーになるために土台となる体作りも大切になってきますが、例えば食事の面ではどんなところに気を配っていますか。実際にこっちでどんなものを食べているんですか。

ダルビッシュ　アメリカに来てからは、もうあまりこだわらないようにしているんですけど(苦笑)。でも基本的にホームゲームのナイターだったら朝は10時30分ぐらいに起きて、昼兼用で

プロテインの粉を混ぜたパンケーキと目玉焼きを3つか4つ食べます。あとはアボカドを半個ぐらい。そこからスムージーみたいなものを作ります。中身は牛乳をベースにイチゴやアサイーの粉末、プロテイン、はちみつなどを入れて。それに僕はあんまり食べるのが好きじゃないので（苦笑）、そういうので終わらせちゃうことが多いんですよね。

――球場入りしてからは？

ダルビッシュ　球場ではすでにケータリングが用意されているので、そこで出されるものを食べる感じですよね。特に好きなのはチキンブレスト（とりのムネ肉）を使ったサンドイッチ。脂肪も脂質も少ないので体にもすごくいいんですよね。あとはナイターだとだいたい14時ぐらいにスムージーを飲んだり、試合中は5回にプロテインバーを食べます。試合後もケータリングを持って帰ったりして食事はします。ただ、食事のメニューに関しては厳密なものはなくて、日によっては朝も冷やし中華やそうめんのときもありますけど、プレーをする上で重要なエネルギー源となるたんぱく質を摂るということだけは意識しながら食べていますね。

待ち焦がれていた力対力の戦い

――ここからは2013年シーズンの話題にも触れていきます。メジャー2年目の幕開けは敵地ながら9回2アウトまでパーフェクトピッチングの〝準完全試合〟(4月3日・アストロズ戦)からの華々しいスタートでした。

ダルビッシュ　あの試合はチームが勝ったので良かったですね。ただ、周囲とは裏腹に僕は完全試合をやらなくて良かったなって(笑)。

――やらなくて良かった……!?

ダルビッシュ　シーズンの初めに完全試合とかしちゃうと注目も浴びますし、次の試合でダメだったら「前の試合はああだった、こうだった」とかまた言われますし。ちょうど良かったんじゃないですかね。5点取られて勝っても、完全試合で勝っても、1勝は1勝ですから。

――日本ハム時代からそのあたりはまったく変わらないダルビッシュ選手らしい考えですね。さて、昨年の今ごろは慣れない環境やボールのことなどで試行錯誤の1年だったと思います。苦しみながらもそれを乗り越えて、今年は技術レベルの向上はもちろんですが、精神的にもゆとりが生まれているのではないですか。

ダルビッシュ　そうですね。昨年はどうしても分からないことだらけでしたし、まずは自分はこういうピッチャーなんだよって周囲に知らせないといけなかったですから。それこそバッテリーを組むキャッチャーだったり、ほかの選手たちにも。あとは想像以上にボールという大きな壁が目の前に立ちふさがりましたから。

――2012年のインタビューでも「このボールに慣れるには時間がかかる」と言われていました。でも、ここまでを見る限りはすでに自分のものにしたのかなという自信も感じます。

ダルビッシュ　まだまだ完ぺきではないですが、昨年みたいなボールへの不安や違和感みたいな感覚はもうありません。特別に何かをしたわけでもなくて、本当に時間が解決してくれたというか。ほかにも〝上がり〟がないとか、イニング間でキャッチボールができないとかメジャー特有のものも比較的すぐに順応できたのかなとは思っています。フォームに関しても左足の踏み出しの位置を変えたり、セットにしたりと試行錯誤しながら、自分なりに手応えもつかみつつありますしね。

――劇的に三振の数が増えている点に関しては、ご自身ではどう分析されていますか。

ダルビッシュ　それもボールに慣れて、追い込んだときに狙ったコースに少しずつ投げられるようになってきたことが関係しているんですかね。ただ、狙ったところに投げる技術やコントロールに関してはまだ課題が山積みなので、もっと技術を磨いていかないといけないなというのが現状です。

――ここまで対戦した中でNO・1のバッターを挙げるなら誰ですか。

ダルビッシュ　タイガースのカブレラですね（即答）。もう1人だけ別の次元にいるようなバッターですから。配球もインコースのツーシームでのけぞらせて、じゃあ次にアウトコースにスライダーや真っすぐを投げて抑えられるかと言ったらそうでもない。とにかく頭がいいですし、技術がハンパない。こっちがファウルで精いっぱいだろうって思って投げた曲がりもコースも完ぺきのツーシームを簡単にレフトオーバーに運ばれたりしましたから（苦笑）。現時点で余裕で世界一のバッターだと思いますよ。

――でも、そうした「力対力の真っ向勝負」をしたくてメジャーに来たわけですから、どこかで楽しさも感じられた瞬間だったのでは？

ダルビッシュ　それはすごくありますね。純粋に楽しかったですから。特に今シーズンのタイガース打線はカブレラ以外にもハンターとかほかにも良いバッターがそろっていますし、そういう相手と勝負が出来ることはやりがいも感じますし、倒しがいもあります。そういうのがあるからピッチャーって面白いんですけど。

――最後に未来へ向けての抱負を聞かせてください。

ダルビッシュ　僕はいま26歳なんですけど、自分の中で脂が乗り切るのは30歳か31歳ぐらいかなと思っています。本当に発展途上の選手ですし、トレーニングにしてもまだまだやり始めたばかりですから。だからこそ、目の前の1試合、1試合を大切にしていろんな経験を積んで少しでも良いピッチャーになりたいなと。その気持ちはずっと忘れたくないですし、30歳ぐらいになった僕を楽しみに(!?)していてくださいということで（笑）。

――そのときのダルビッシュ有が一番面白いと。

ダルビッシュ　まあ、ケガせずに野球をそこまでやっていればの話ですけどね（苦笑）。でも、世界中の誰からもNO・1のピッチャーはダルビッシュと言ってもらえるように、一歩ずつその目標に向けて前に進んでいきたいと思っています。

［週刊ベースボール2013年7月8日号より抜粋掲載］

part 4
証言者たち

言葉で具現化する「ダルビッシュ有のすごさ」

ダルビッシュの変化球はなぜすごいのか？
この「すごい」という言葉は抽象的だ。
この疑問の答えとともに、その「すごさ」を具現化してくれたのが３人の人物。
トレーニングコーチの中垣征一郎氏、元女房役の鶴岡慎也選手（現福岡ソフトバンク）、
元コーチの佐藤義則氏（現東北楽天コーチ）。それぞれの角度から証言者として、
ダルビッシュの変化球、そして投手として優れている部分を語ってもらった。

証言者 1

成長過程を見守ったトレーナー

中垣征一郎

（北海道日本ハム・トレーニングコーチ）

仮説を立て、試して変化をつける

彼は指先の意識だけで変化球を投げているわけではありません。「運動感覚」と言うと、すごく抽象的なものに聞こえてしまうかもしれないですが、本人の中でははっきりとした具体的なものなんです。

本人にとって具体的といってもそれは外から見て計れる時間や位置だとか、そういったものではありません。体感的、もしくは体験的な時間や空間的な位置、そういったことを本人の中の感覚で細かく調整できる。感覚の具現力が、彼は非常に優れているんです。

例えば、僕が何かを修正しようと言葉で伝える際、「もうちょっと早くこの動作へ入っていこう」と言います。ただしそ

ダルビッシュは中垣氏（右）の言葉を的確に理解し、自分が行う運動の構図を体の中で再構成できたという

の「ちょっと」は「あと2センチ」とか、「あと0・08秒」とか数字的に表現して意味のあるものではありません。映像の中で細かく分析すれば「あと2センチ」かもしれないけど、その「あと2センチ」をこれからやる動きの中で表現するのに数字的な表現は意味をなさないということです。しかし、彼は私の言葉を理解し、自分がこれから行う運動の構図を体の中で再構成します。そして、見る人には動きが変わってないように映っても、本人の中では具体的に変えている。

彼には変化球の話もときどき聞きますが、どうやって曲げよう、落とそうとか考えているわけではありません。「こうなったら曲がるはずだ」「こうなったら落ちるはずだ」と。あまり見た目には動きが変わっていないように見えても「こういう力の加え方をすればボールはこう動くはずだ」というような、まず仮説を立て、動き方を自分で試しながら、ボールに変化をつけていくのです。

体のメカニズムを熟知

例えばカットボール。指先でボールに力を与える位置をちょっとズラすだけで、真っすぐと同じ体の動きで投げれば、ボールが打者の直前にピュッと動く。そのためには体全体の動きがこうあるべきだと彼は考えます。それが、彼の面白いところ。「こうすれば、こうなるはずだ」とまず考え、何とかしようとしている。

「こう変化させるためには、体も含めた全体の動き方の構図がこうでないといけない」。これを考えるのは、容易なことではありません。本来ならそれは僕ら指導者に要求されるべき能力ですが、彼はその感覚を強く持って具体的に表現できる選手ですね。

打者からは、(腕の振りが)ほぼ同じに見えると思うんですよ。なぜなら、彼はどの球種も投げるタイミングが変わらないんです。

例えば右投手で多く見られるのが、上げた左足が着地してからボールのリリースまでの時間が球種によってバラバラな投手がいます。カーブを投げるときに体が一瞬緩むと言われるような投手が分かりやすい例ですね。これでは打者に球種を教えてしまっているようなものです。

ところが彼の場合、ボールがリリースされるまでのリズムがどの球種も一定というか、類似している。打者からすればそのリズムの誤差が少なければ少ないほどリリースの瞬間、どのボールも同じに見えてしまうと思います。ただ実際には体の動きや腕の振りは、それぞれの球種でそれぞれの変化をしなければ、ボールは変化をしないはずなので、厳密には同じ動き方ではありません。

しかし、腕の動きそのものはとても速く、あんなに一瞬の間に速く動くものに対して、打者はそれほど簡単に見極められるものでありません。すべての球種で左足の接地からリリースまでのタイミングや体全体の動きが類似したものになっていれば、打者には同じように見えてしまうというのが実際のところだと思います。だから、彼はそう見えるように工夫しているんでしょうね。

感覚は絶対的なもの

多くの人がいろいろなことを試行錯誤しながら、日々野球やほかのスポーツに取り組んでいます。スポーツにかかわらずどんな仕事でもこれは同じことだと思うのですが、ダルビッシュに特徴的なことは、「ここの動き方はこうありたい」というような、ピッチングを通した技術や行動に〝志向〟をはっきり持っていることだと思います。

「こうやったときにはこうなった、だからこう動きたい場合はこうやってみよう」と、志向がはっきりしているんです。彼が生まれ持ったものに加えて、育ってきた環境や取り組みがそうさせているのだと思います。才能に恵まれた人は、その人の持った感性で行動している人が多いと思います。しかし彼の場合、素晴らしい運動感覚を持っていると同時に、知ってしまえば誰にでも理解できるであろう根拠を持って行動しているところが、より非凡なところだと思います。もちろんそれを知ることは容易ではありませんし、それを具現化することは、一般的にはさらに困難を極めることです。

入団時、例えばストレートなら体を大きく使って速い球を投げる、という傾向が今に比べるとかなり強かったと思います。しかし、より一貫して、強く、しかもボールをコントロールできる投球動作を求めることで現在も進歩し続けていると思います。さらに、プロの最前線でやっていくうちに、例えば「ここは空振りじゃなく、ファウルを取っておけば、次の球が楽に投げやすくなる」と、球種は同じ変化球のなかにもさらに状況に応じて違いをつけたり、それを戦術に生かしたり、考え方に深みが増してきている。そうなれる背景には、彼の持つ〝志向能力〟があると思うのです。

一般的に何を何回という指標で行うトレーニングは生理的、物理的な条件を整えるだけのものになってしまいます。もちろんこれらなしにはアスリートとしての成功は望めませんが、これらの条件を内部的な運動として統一させるためには志向を正しく持つことが重要です。トレーニングの中にも、ピッチング動作の要素としてどう組み込まれるのかを考え、「このようにやっていくと、ここの部分がうまくいくはずだからこう動きたい」と志向するんです。それが一見単調に思える日々のトレーニングに対しても、飽きずにやり続けられる理由だと思います。そういう志向能力を促発してあげれば、今の子どもたちの中から、ダルビッシュに近づき、追い越す選手が出てくるかもしれません。

感覚は彼の中で抽象的なものではなくて、具体的で絶対的なものです。それが何なのかを伝えるのは容易ではないのですが、その一端をこの話から感じていただければうれしいです。体全体を使って最後は腕を振るということではなく、体全体から生み出される力で自然に腕が振られているという感覚を、彼は持っているんです。変化球にしても、単に手先の感覚だけで投げているものではないと思います。もちろん手先の感覚が優れているのも事実です。ただし、それは彼の投球を生み出す一つの要素であって、1球を投げるためには、いろいろな要素が絡み合って構造化された〝ストーリー〟であり〝メロディー〟が、ダルビッシュの中にはあるのだと思います。

中垣氏は2012年、専属トレーナーとしてダルビッシュとともにレンジャーズへ。メジャー1年目の16勝を陰で支えた

なかがき・せいいちろう●1970年1月18日生まれ。東京都出身。高校から本格的に陸上に取り組み、中距離の選手として活躍。筑波大を卒業後、小守スポーツマッサージ療院に4年間勤務し、その後に伊勢丹ラグビー部のトレーニングコーチを務めた。97年に運動学を学ぶためにアメリカ・ユタ大大学院へ留学。在学中からメッツの臨時トレーナーを務めた。帰国後、04年から日本ハム入り。12年はレンジャーズで専属トレーナーを務め、13年から日本ハムに復帰。

マウンド上で言葉を交わすダルビッシュと鶴岡のバッテリー。2人の相性はバッチリだった

証言者 2

ダルビッシュの元女房役

鶴岡慎也

（現福岡ソフトバンク・捕手）

つるおか・しんや●1981年4月11日生まれ。鹿児島県出身。177センチ77キロ。樟南高から三菱重工横浜硬式野球クラブを経て03年ドラフト8巡目で日本ハムに入団。プロ3年目の05年に一軍デビューを果たし、献身的なプレーで一軍に定着。ダルビッシュ有とのコンビで安定したリードを披露し注目を集める。12年は正捕手として116試合に出場。パ・リーグ制覇に貢献した。

すべての球種がウイニングショット

ダルビッシュと対戦する打者は本当に大変だと思いますね（笑）。マスク越しに打者の反応を見ていると、それはよく分かります。あれだけの力の直球に加え、変化球も多彩ですから。「次は何を投げてくるんだろう……」って戸惑うのも仕方ないです。

基本的にダルビッシュという投手はいろんな球種を駆使して打者を翻ろうしたいタイプ。もしかしたら直球、カーブ、スライダー、フォークだけでも完封できる力はあるかもしれない。でも、いろんな球を投げて打者の対応を見て、いろんな打ち取り方を楽しみたいんですよね。

10種類以上ある変化球はいつも全部使っていました。よく、試合中に僕のサインにダルビッシュが首を振っている場面があると思いますが、あれだけ球種が多いのでどうしても首を振る回数が多くなってしまう。だからテンポをどうやって良くするかを考えていました。

僕はプロに入る前から高校、社会人でもいろいろな投手の球を受けさせてもらってきましたが、ダルビッシュの力はズバ抜けていました。特にすごいのはその持っている修正能力です。どんなに調子が悪くてもしっかりとゲームメークしますからね。例えば、試合中に投球フォームを修正したり、変化球が曲がり過ぎているのを曲げないようにしたり。

とにかくダルビッシュという投手はすべての球種がウイニングショットになる。悪いときにいろんなパターンのピッチングができる。それが何年もあんなに勝てている一番の要因でしょう。たまに「こんなリスクを背負って投げなくてもいいのにな」と思うことはありましたけどね（笑）。それでも実績のある投手ですから信頼していましたし、あんなにすごい投手のボールを受けられることは捕手としては本当に幸せなことでしたね。

ダルビッシュのルーキー時代、佐藤氏はコーチとして指導にあたった

証言者
3

新人時代のコーチ

佐藤義則

（現東北楽天・投手コーチ）

さとう・よしのり●1954年9月11日生まれ。北海道出身。181㌢86㌔。函館有斗高から日大を経て77年ドラフト1位で阪急（のちオリックス）入団。通算501試合に登板し165勝137敗48S、防御率3.97。98年引退後は99～00年にオリックス、02～04年に阪神でコーチを務め、05～07年には日本ハムのコーチとしてダルビッシュを指導。09年から楽天投手コーチを務める。

スピンの利いたボールが違った

彼の入団1年目に僕は二軍のコーチでしたが、キャンプでダルビッシュは故障していたから、僕はほとんどノータッチ。鎌ケ谷に帰ってからですね。6月に札幌ドームで初先発するまで、そんなに長い時間ではありませんが、一緒にやりました。

ブルペンに入って、30球、40球投げる中で、たまに指にかかったボールを何球か見て、「これはすごいな」と思ったのが最初の印象ですよ。ほかのボールはたいしたことがなかったけど、そのスピンの利いたボールの印象は強かった。ああ、やっぱり違うんだなと思いましたね。

投げることに関しては、器用だよね。遊びの中でいろいろなボールを投げて、自分でものになったものをゲームで使っていく。基本はストレートとスライダーとカーブ。さらにフォークもあるし、チェンジアップと、1個1個球種が増えてきた。すべての球種は使えないけれど、よりコントロールのいいボールを試合で使っていき、コントロールの悪いボールを使わないようにして、今の形ができてきたように見えますね。高校から来た最初はシンカーを投げていたんだけど、チェンジアップやフォークが良くなったら、もうシンカーはほとんど投げていないですよね。指に挟んで投げる難しいボールだし、フォークボールなどと同系統の球種になるからね。

マスコミの皆さんはダルビッシュを育てたとかって僕のところによく聞きに来るけど、投げることはもう高校のときから良かったわけで、誰が教えても、彼はそれなりのものを持っていた。練習をさせたか、させられないかの差だけであってね。まあ僕は教えることは人には負けないと思っていますし、細かいところまで見てきたつもりではいます。とにかく、もうダルビッシュに教えることはないです。

与田 剛氏
［野球解説者］が
徹底解剖

よだ・つよし●1965年12月4日生まれ。千葉県出身。木更津中央高から亜大に進み、NTT東日本を経て90年ドラフト1位で中日入団。同年に31セーブを挙げて新人王を獲得するなど、力のある直球を武器にリリーバーとして活躍。96年にロッテ、98年に日本ハム、00年に阪神に移籍して同年限りで現役引退。その後は野球評論家として活動。09年の第2回、13年の第3回WBC日本代表の投手コーチを務めた。通算成績は148登板8勝19敗59セーブ、防御率4.58、212奪三振。90年に新人王、最優秀救援投手賞、ファイアマン賞を獲得。

連続写真で見る

ダルビッシュ有の“進化”と“真価”

Technical Analysis

七色の魔球を操るダルビッシュ有のフォームには、どのような特徴があるのだろうか。
メジャー・リーグ中継の解説でもおなじみの与田剛氏に分析を依頼。
2013年シーズン仕様のフォームは、レンジャーズ移籍1年目で
16勝を挙げた2012年仕様よりもさらなる進化を遂げているのだという。

メジャーへの慣れが後押し力感あるフォームに手応え

ダルビッシュは対応力に優れた投手です。豊富な持ち球の中から、『今日はこのボールを中心に』と、その日のコンディションに応じて軸になる球種を変えていくのは、本人が明かしているとおりですが、細かく観察してみると、フォームそのものも少しずつ変化させているのが分かります。特にメジャー移籍1年目だった２０１２年は、『一球ごと』と言ってしまうと大げさかもしれませんが、時にはそれに近い頻度でベストなボールを投げられるフォームを探り、臨機応変に長いシーズンを戦い抜いたことが、とても印象的でした。

古くは09年の巨人との日本シリーズで、腰に痛みを抱えながらも変身したフォームで投げた姿も記憶に新しいですが、例えば12年シーズンならば、5月16日のアスレチックス戦でしょうか。それまでとは異なり、急に『緩

シーズンを通しての活躍を確信。テキサスの絶対的な柱に

いフォーム』で投げたゲームでした。開幕以降、メジャー特有の中4日のペースで投げ続けたことで、体調面の影響の一つの表れだったと私は推測しているのですが、あの日、初回はそれまで同様に力を入れて投げていたのに、バランスが良くないと見るや、ドラスティックに投げ方を変えました。そして8回途中までを見事1失点に抑え、メジャー6勝目を挙げたのです。

このような変化というのは、当然大きなリスクを伴うものです。それでも彼はよりよいパフォーマンスと結果を求めてチャレンジをやめないところが素晴らしい。野球人として尊敬できるところですし、チャレンジ精神があるからこそ、トップクラスの成績を残し続けることができるのでしょう。

そんなダルビッシュですが、13年シーズンは開幕から5試合を見る限り、一転してフォームを固めて投げているようです。もちろん、これまでも数試合を同じフォームで投

4 5 6

3 4

げていたことはありますし、これから変化していくことも考えられます。しかし、現在のフォームは1年間メジャーで戦い抜いた経験を落とし込み、チャレンジした結果、彼の中でしっくりきているフォームなのではないでしょうか。

　ここからは12年の同時期のフォームと比較しながら、そんな『13年版ダルビッシュ』を見ていきましょう。

　まず、13年はかなり軸足（右足）を曲げた状態でセットしていることが分かると思います①。12年の①と比べてもらえばその違いは一目瞭然で、日本ハム時代にもここまで極端に軸足を折ったセットは見たことがありません。このスタートの姿勢こそ、『13年版』の最大の変化、特徴ではないでしょうか。加えてセットに入った時点での歩幅も①の方が広い。土台を低く広く安定させたところから始動しています。

　土台の高さを低く、歩幅を広く固定しているのは、上下、左右のブレを少なくするため

Technical Analysis

⑬ ⑭ ⑮

⑦ ⑧

です。①のように、軸足を伸ばしている状態だと、左足を上げ切るまで①~③に軸足の上に頭を移動させる横の動きが生じ、ステップしていく過程④~⑧では、軸足を曲げるアクションをしなければなりません。当然、そこでは目線の上下動が生まれてしまう。ダルビッシュはそれらを嫌ったのでしょう。①のように、あらかじめ頭の位置を軸足の上に乗せ、左足を上げても下ろしても、①の高さに戻すだけにすることによって、格段にフォームのバランスが良くなります。これが最終的には制球力アップにつながるわけです。もちろん、その後にバラついてしまえば元も子もないのですが、ダルビッシュは⑤の左足を上げ切った『1の姿勢』をとても大事にしているようです。

　メジャーへの慣れもあるのでしょう。低く、広い土台を作ることによって、ステップ（踏み込み）幅も広げることができています。⑨と比較すると、⑰ではよりキャッチャー方向

10　11　12

5　6

に近づいているのが分かりますね。本来の18・44メートルをこれだけ縮めることができると、バッターのタイミングを狂わすことが可能です。そして何より、13年版の方が力感もある。実際にボールの威力もアップしているはずです。しかし、12年の、特に序盤戦はここまで深く踏み出すことができませんでした。なぜならダルビッシュにとって、どこのスタジアムで投げても、常にそれが初体験のマウンドだったからです。スタジアムによって傾斜も違えば硬さも違う。われわれだって初めての地面を歩くとき、滑るのか、滑らないのかと慎重になりますよね？

　アスリートにとって、一番良い状態というのは、ノーストレスで行動できることです。恐る恐るという意識はないのかもしれませんが、さすがのダルビッシュも無意識には投げられなかったのでしょう。でも、13年は1年間の経験がある。「これくらいの踏み込み、力の入れ具合で、こういうボールが行く」と

18 19 20

11 12

いうことが把握できているのです。ですから、このような、より下半身を使うフォームに挑戦しているのでしょう。そして、もうすでにそのフォームを使いこなしてもいるようですね。

グラブで上半身リラックス ロスなく力を伝える方法

解説を続けましょう。次に目につくのが、上体を残し、腰からキャッチャー方向に向かっていく腰始動の形です⑦～⑪。実にきれいで理想的な『逆くの字』ですね。右足を曲げた状態で安定させられているからこそ、ここまでの角度がつけられるのですが、グッと入った腰が素晴らしいじゃないですか。これが右足を固定できていない状況だった場合、軸を決めながら、次に左足を動かさねばならないので、バランスを取ることだけでも一苦労してしまいます。

土台がしっかりしていることで、上半身にも好影響が生まれています。例えば、右腕が

16

17

9

10

前方に振られる直前の⑰をわれわれは『トップ』と呼んでいますが、ダルビッシュはこのトップを迎える瞬間までに、理想的な高さまで右腕を持ち上げることができています。下半身が安定していないと、この右腕が上がり切るまでの時間が作れないまま腕を振らなければならず、肩、ヒジに負担を強いることになります。

①～⑰まで頭と軸足の位置関係もほとんど変わりがありません。多少、投げ始めると顔が前に行き始めるのは当然のことで、ギリギリまで体が開く（体の正面がバッターを向く）のを抑えられていますね。13年（⑦～⑯）は、12年（④～⑧）よりもコンマ何秒の違いですが、より左肩の開きを遅らせることができているのも特徴的で、『ＴＥＸＡＳ』の胸マークをなかなかバッターに見せない。結果、パワーロスがほとんどなくなりました。

重複しますが、下半身がユラユラと動いてしまったら、上体でそれをカバーするという

23

24

15

16

のは、見た目にはできたとしても、実際のボールには力がなくなってしまいます。「ダルビッシュは投球フォームのバランスがいい」と言われますが、大前提として下の強さ、足腰の強さがあるからということを忘れないでください。松坂大輔投手（現メッツ）がメジャー1年目を終えた後、『下半身の張り』を訴えていたことを覚えています。ダルビッシュもメジャーを1年経験し、下半身のトレーニングを重点的に行い、現在のフォームに耐えられるだけの強さを手に入れたのでしょう。

最後にダルビッシュならではのグラブの使い方にも触れておきましょう。これは12年のフォームにも共通していることですが、グラブを持つ左手にムダな力が入らないのです。⑩～⑮の間、グッとグラブを握り込む（これで利き腕にも余計な力が入ってしまう）ピッチャーが多いのですが、ダルビッシュの場合は半開きになるくらい力が入っていません。グラブが「だらん」と力なく下を向いている

21

22

13

14

のが分かりますね。意識してのことなのか、そうでないのかははっきりしませんが、これは上半身をリラックスさせる、優れた一つの方法だと思います。ピッチングとは曲線的な動きです。ダルビッシュはグラブ側の左腕の使い方が柔らかく使えるからこそ、ロスなくボールに力を伝えることができるのです。

◎

13年はメジャーに慣れた中でのシーズンですから、われわれ見ている側も12年（16勝9敗）以上の成績を期待してしまいます。今後はローテーションを守るだけでは納得できない立場。勝ち数では『20』をクリアして、『貯金10以上』と、テキサスの絶対的なエースとなってほしいですね。そんなダルビッシュはいつも「悪いながらも抑える」と言うんですが、やはり、エースというのは、ブルペンを楽にしてくれるピッチャー。そんなピッチャーであり続けることを望みたいです。

OHOKU

part 5

ダルビッシュのルーツを訪ねて

「勝利」と「将来性」の狭間にいた1380球

元東北高監督が語る

世界最強
右腕への道

２年春から４季連続甲子園出場。３年時は主将としてチームを引っ張り、開会式の入場行進でも先頭を堂々歩いた

ダルビッシュのルーツを訪ねて I

若生正廣

［九州国際大付高◎監督］

「高校時代とフォームがほとんど変わっていない。下半身で投げられているから、故障する心配もない」

投手指導に定評がある。東北高時代は嶋重宣（現埼玉西武コーチ）、後藤伸也（元横浜）、高井雄平（現東京ヤクルト）、そして現職の九州国際大付高でも二保旭（現福岡ソフトバンク）、三好匠（現東北楽天）を育成し、プロへ送り込んできた。高卒の段階で一流ピッチャーに達するのも、徹底した基本をたたき込んでいるからだ。12年からメジャーを舞台にする日本最強右腕の原点は、宮城での３年間にある。

今も昔も変わらない高校生選手育成の基本とは

　メジャー・リーグの強打者と対峙するダルビッシュをテレビ画面越しに見た若生正廣監督は、しみじみと言った。

「高校時代とほとんどフォームが変わっていないですね。下半身で投げられているから、故障する心配もない」

　アメリカのマウンドは日本よりも硬い、とされる。海を渡った多くの好投手が、この環境の変化に苦しめられた。しかし、ダルビッシュには無縁だった。股関節の柔軟性に富んでいるから。東北高での3年間がベースとなっている。

「もう30年近く、ずっと同じことを指導しています。基本しか言いません」

　母校・東北高の監督から福岡へ渡って8年。北九州にある九州国際大付高にも、若生監督のイズムが浸透している。07年夏に胸椎黄色靭帯骨化症を患った影響で、現在も足は不自由であるが、野球に対する熱い思いは不変だ。09年夏に同校を初の甲子園へ導くと、11年春のセンバツ準優勝。同夏も2季連続で導き、今や福岡の上位常連校だ。

　九州国際大付高では技術練習より重視しているのが、心身的に最もタフな体力強化である。全体練習のラストメニューも、トレーニングの後に柔軟体操で締めるのが日課。そして指揮官は投手陣をベンチへ呼ぶと、必ずと言っていいほどストレッチの指示を出す。

「胸がつくまで。野球はやらせない」

　ダルビッシュはプロ入り以来、戦線離脱をするほどの肩、ヒジの故障がない。その理由は単純明快。高校3年間で柔軟体操を繰り返し、両足の股関節を鍛えたからだ。入学当時は硬かったというが、股割りを反復し、力士のように180度開脚できるようになった。

　中学時代に在籍したボーイズ・全羽曳野では全国大会8強。日本代表として出場した世界大会では3位に導いている。中学3年時で191センチという大型右腕に、全国40校以上からの入学勧誘があったという。生まれ育った大阪を離れ、仙台へ〝留学〟する決め手となったのは、環境面と投手育成に定評のあった若生監督の指導方針だった。

　中学3年間で26センチ伸びた身長に対し、入学時の体重は69キロ。入学したのも束の間、ダルビッシュに待ち受けていたのは、両ヒザの成長痛だった。

「無理をすると、疲労骨折しやすい。1年間は何もさせないでおこうかな、と思った。1年目は柔軟体操とプール・トレーニングしか、させていない。体重移動をスムーズにする。つまり、下半身の力を上半身へ伝えるには、股関節の柔軟性が大事なんです。下半身を使えれば肩、ヒジを痛めることはありません。肩を痛めた結果、かばううちにヒジにも併発、その繰り返しになります。つまり、股関節をうまく使えていれば、故障を回避できるわけです」

選手寿命を縮める故障を恐れた若生監督は、成長痛が完全に癒える3年春のセンバツ前まで、下半身に負担のかかる〝陸上メニュー〟はすべて回避。ダルビッシュはこうした「特別扱い」を何より嫌ったが、指揮官の親心が基盤を作り上げたことは言うまでもない。

2年夏の甲子園は準優勝。みちのく勢では初となる優勝旗まであと一歩のところで涙をのんだ。試合後は若生監督（左）から、労いの言葉をかけられる

高校1年当時ですでに持ち球は11種類

グラウンドで走り込めない分は、水中での週3回、2時間のスイムトレでカバーした。汗をかいた後はストレッチを必ず行い、入浴後も柔軟体操。両足を広げて30回6セット。部員たちがテレビを見ているその端で、大男が肉体をほぐしている姿は、東北高合宿所ではお馴染《なじ》みの光景だったという。

成長痛とうまく付き合いながらも、ダルビッシュの素質は群を抜いていた。1年春から背番号15でベンチ入り、同夏には3年生左腕・高井雄平に次ぐ存在に。若生監督は全羽曳野での実戦を初めて見た〝衝撃〟を今でも忘れられない。真っすぐの質、球威はもちろん、目を奪われたのは変化球のキレだった。

「真横に滑る、本当のスライダーでした。実は左でも遠投70㍍は投げるんです。指先に器用さがあります。これは持って生まれた感性です。高校入学後は、投球練

3年春のセンバツでは1回戦（対熊本工高）で大会史上12人目のノーヒットノーランを達成。高校生離れした投球術に、相手打者も打つ手がなかった

習をしなくてもストライクが入る。高井は馬力型で、不器用だったんですが……（苦笑）。こんな投手と出会ったことはありませんでした」

16歳の少年はすでに魔球の数々を配備していた。指先が器用だったのだ。東北高には当時〝変化球養成ボール〟があった。ピンポン玉ほどの大きさの2つの金属製の玉で、中が空洞で鈴が入っている。かつて若生監督が知人からもらったという手土産。後藤伸也、高井、そしてダルビッシュへと、この〝秘密兵器〟が受け継がれた。2つの玉をきれいに転がすと良い音色が聞こえるが、スムーズさを欠くと音がしない。2人の先輩は使いこなすまでにそれなりの時間を要したというが、ダルビッシュの場合は1週間も経過しないうちに、自分のものとしたという。

高校生を超越した球種があった。試合で使っていたのは、カーブ2種類、スライダー、シュート、シンカー、パーム、カットボール。若生監督は肩に負担が掛かる恐れがあるフォークと、ナックルは封印させている。当時からダルビッシュはすべての持ち球について「コントロールする自信がある」と胸を張っていた。並の投手ではない。

覚えているだろうか。2年時のダルビッシュは甲子園で、打者の目線とタイミングを外すために、基本のオーバーハンド以外に、サイドハンド、スリークオーターからも投げていた。しかし、潜在能力に長けている選手に〝ごまかし〟は不要。実際、2年夏の常総学院高（茨城）との甲子園決勝では、この戦法が裏目に出て、相手打線に痛打を浴びている。涙の準優勝。春、夏を通じ東北勢初の快挙をあと一歩で逃したこの決勝を機に、若生監督は「千手観音投法」を一切、やめさせている。

主将として臨んだ３年夏の甲子園は３回戦敗退（対千葉経大付高）。雨中の一戦は最後のバッター（三振）となり、思わずその場で立ち尽くした

東北高・ダルビッシュ投手の甲子園全成績

大会	スコア	投球内容	回数	打者	球数	安打	三振	四球	死球	失点	自責	防御率
【2年春センバツ】												
２回戦（浜名高）	2-1	完投○	9	31	120	4	7	0	0	1	1	
３回戦（花咲徳栄高）	9-10	先発	6	34	132	12	5	1	2	9	6	
計			15	65	252	16	12	1	2	10	7	4.20
【2年夏選手権】												
１回戦（筑陽学園高）	11-6	先発	2	12	51	3	4	1	1	2	0	
２回戦（近江高）	3-1	完投○	9	36	127	10	7	1	0	1	1	
３回戦（平安高）	1-0	完封○	11	39	154	2	15	3	2	0	0	
準々決勝（光星学院高）	2-1	完了○	3 1/3	12	49	1	1	0	1	0	0	
準決勝（江の川高）	6-1	登板なし										
決勝（常総学院高）	2-4	完投●	9	39	124	12	3	2	1	4	3	
計			34 1/3	138	505	28	30	7	5	7	4	1.05
【3年春センバツ】												
１回戦（熊本工高）	2-0	完封○	9	30	129	0	12	2	0	0	0	
２回戦（大阪桐蔭高）	3-2	先発	6	25	93	5	5	1	1	2	2	
準々決勝（済美高）	6-7	登板なし										
計			15	55	222	5	17	3	1	2	2	1.20
【3年夏選手権】												
１回戦（北大津高）	13-0	完封○	9	35	115	8	10	0	0	0	0	
２回戦（遊学館高）	4-0	完封○	9	31	120	3	12	1	2	0	0	
３回戦（千葉経大付高）	1-3	先発●	9 2/3	45	166	9	6	3	2	3	2	
計			27 2/3	111	401	20	28	4	4	3	2	0.65
12試合７勝２敗			92	369	1380	69	87	15	12	22	15	1.47

「同じ角度と間合いで多彩な球種を投げるのが、好投手の条件。それが、ダルビッシュだったわけです。フォームを変えることで、敵チームに球種を教えるようなもの。長身の上背から投じられるボールほど打ちにくいんです」

この2年夏の甲子園後、ダルビッシュは新チームで主将就任。指揮官はフォームに手を加えることを決意する。

日本人メジャー右腕を生んだ「我慢」の3年間

寮の自室の天井には、A4から1メートルほどに拡大コピーした紙が貼ってあった。高井が引退した1年秋の新チーム結成時、若生監督から手渡された『ダルビッシュ有　大投手への道～心・技・体を大切にすること～』である。〝変化球養成ボール〟とは異なり、後藤、高井、そしてダルビッシュ以降のエースにも配布していない〝代物〟だ。

難しい内容は皆無。心（3項目）、技（4項目）、体（3項目）の冒頭だけを紹介する。「素直な心を持つこと」「ピッチングフォームどおりに投球すること」「常に健康に気を付けること」

高校球児としてごく一般的な10カ条である。しかし、ごく当たり前なことを継続する辛抱が必要。ダルビッシュはこの10カ条を原点に、一流プレーヤーへの道程を突き進んだ。

フォーム修正の話題に戻す。2年秋の静岡国体で遠征していたある日の夜。ブラウン管の向こうでは、阪神と福岡ダイエーの日本シリーズが中継されていた。若生監督は斉藤和巳のフォームから、一つのヒントを見つけ出した。

「体にひねりを入れることでパワーが増す。一方で、遠回りして腕が出てくる危険性もあるんですが、肩とヒジ関節が柔らかいダルビッシュは最短距離でスイングできる。それが、打者から見づらいボールの角度を生むんです」

指揮官いわく、このフォームこそが現在の原型になっているという。

「直球8割、変化球10割。打者にとって100パーセントの真っすぐが、一番タイミングを合わせやすいんです。逆に8割の力で置きにいった変化球というのは大したことない。フォーム的に言えば、『1・2・3』は合わせやすいが、『1・2～の3』のゆったりしたフォームがダルビッシュ。三振を取りたいときは三振、ゴロを打たせたいときはゴロ、と自分の思ったとおりの投球ができる」

超高校級右腕を擁しながら、4季連続で出場した甲子園では、優勝に届かなかった。しかし、聖地に記憶を残したのは確か。3年春のセンバツ1回戦では無安打無得点試合。3年夏の1回戦は直球

体育の授業終了後にクラスメートと記念撮影（前列右端）。日本ハム入り後、ロッカールームでの卓球でも「存在感」を示してきたというが、腕前の原点は高校時代にあった。上の写真はドラフト直前に撮影。丸刈りから頭髪も伸び、凛々しい表情が印象的だ

主体で完封すると、2回戦では一転、カーブ、スライダー、シンカーと変化球主体の配球で2試合連続シャットアウト。2年春のセンバツから疲労性の腰痛や右肩の張りなど、何かとアクシデントが多かったが、若生監督は「高校生としては一人前の体つきになった」と、自信を持ってプロ野球の世界へと送り込んでいる。

1380球を投じた甲子園12試合で、指揮官が印象に残っている試合は、2年夏の3回戦だ。筑陽学園高（福岡）との1回戦は2回2失点KO。その晩のうちに「次の試合、自分が投げます」と直訴してきた。翌近江高（滋賀）戦で完投し、続く平安高（京都）は、延長11回を被安打2、15奪三振で完封している。「やると決めたときの集中力はすごい」。05年から北海道日本ハム、そして12年からのメジャーでの活躍も決して驚かない。

若生監督はファイターズ入りの際に「日本を代表する投手になる」と予言していた。それが現実となった現在も「肉体、ボールとも進化をし続ける」と言い切る。レンジャーズへ移籍した昨シーズン前にも「15勝する」と断言。ルーキーイヤーに16勝し、2年目の13年はそれ以上の飛躍を確信する。

「打者よりもダルビッシュの方が研究している。昨季打たれた打者のデータは頭にインプットされているでしょうから、今季は抑えると思いますよ。開幕直後には『あと一人で完全試合』のゲームがありました。本人は意識していなかったようですが、本心は悔しかったはずです。ただ、どん欲な選手ですから、昨季の活躍も含めて過去の話であり、すぐに次への目標へと切り替えている。勝負事に向いている性格です。私も甲子園での日本一を目指していますが、それよりも先に、世界一の投手になるのではないでしょうか」

メジャーで適応する理由をこう語る。

「高校野球、特に甲子園はダルビッシュにとってリズムが早過ぎたかもしれない（苦笑）。メジャーは1球1球に、集中できる環境が整っている。ダルビッシュのリズムで投げられるんです」

13年春のセンバツでは済美・安樂智大（2年）の「連投」が物議を醸した。ダルビッシュの肉体を最も理解する若生監督は3年間、目先の勝利よりも将来性を優先させた。本人としては、もどかしい時期があったのは事実である。

「皆と同じメニューをこなせなかったことで『すまない』気持ちがあるんでしょう。先輩、後輩にも配慮や気配りができる子。練習ができなかったことの方が、苦痛だったと思います」

我慢の取り組みで「日本最強右腕」は「世界最強右腕」へ近づいている。

わこう・まさひろ●1950年9月17日生まれ。宮城県出身。東北高では主将・四番・エースで3年夏の甲子園出場。法大、社会人野球・チャイルドでプレーした後、指導者の道へ。埼玉栄高を経て、90年から東北高コーチ。93〜95年、97〜04年に監督を務め、11年間で春5度、夏2度の甲子園出場。03年夏には2年生・ダルビッシュを擁し準優勝。05年8月末から九州国際大付高の監督としてチームを率い、春1度、夏2度の甲子園へ導き、11年春のセンバツ準優勝。甲子園通算16勝10敗。

「私も甲子園での日本一を
目指していますが、
ダルビッシュはそれよりも先に、
世界一の投手になる」

羽曳野市を流れる石川の河川敷にあるボーイズの練習場。ここでダルビッシュは3年間、心身ともに成長していった

ダルビッシュのルーツを訪ねてⅡ

山田朝生

［全羽曳野ボーイズ］

神様が与えた必然出会い、縁の結びつきで……

羽曳野の子になった瞬間

小学生までは野球が好きな男の子ではなかった。

もちろん中学生になってからも。

その根底にはダルビッシュが、さまざまな悩みを抱えていたからだ。

しかし、嫌々ながらも入団した全羽曳野ボーイズという野球チームで運命の出会いをする。

そこの監督、山田朝生だ。彼と出会ったことでダルビッシュは本当の「羽曳野の子」となり「野球人」として育っていった。

写真提供＝全羽曳野ボーイズ

羽曳野の子は今でも変わっていない

人が人を作る。親が子どもを育てることは当り前だが、その育った環境により、子どもの人格が形成されていく。地域の集まりや学校生活、そしてスポーツなどの課外活動。そこには多くの人間と関わりがあり、性格が作り上げられるのだ。そしてその時々で、「出会い」がありそれが「縁」となり、子どもの人生を決めてしまうことがある。

ダルビッシュ有は中学生のときに入部した全羽曳野ボーイズ（以下ボーイズ）という野球チームとの出会いにより、人生の大きな転機を迎え、それが現在のダルビッシュを作り上げていったようだ。

「あの言葉はいまだに心に残っていますよ」というのはボーイズの山田朝生監督だ。あの言葉とは、メジャー・リーグ挑戦を表明し、レンジャーズへの入団が決まった後の札幌ドームでの会見での言葉だ。

「今でも大阪府羽曳野市で生まれ育った自分は、いい意味で変わっていません」

中学生になるまで、イラン人と日本人のハーフであることからさまざまな悩みを抱いていたというダルビッシュ。ボーイズに入ってきたころもそこまで練習に熱心ということでもなかった。

あるとき、山田監督の逆鱗《げきりん》に触れる出来事をダルビッシュが起こした。石川河川敷練習場横にある監督室に呼び、昏々《こんこん》と叱った。このとき山田監督の心の言葉を感じ取ったダルビッシュは、翌日また、監督室を訪れ、大粒の涙を流しながら謝罪し、真剣に練習に取り組むことを誓ったという。

「あの瞬間からですわ、有が本当に羽曳野の子になったんは。それまではフラフラした気持ちが見えたけど、あれ以来、本当にそれまで以上に練習もしっかり取り組むようになりました」

◎

あるシーズンオフにダルビッシュが実家に帰ってきたときのこと。その年の大雨で石川河川敷の練習場がすべて浸かり、監督室も浸水してしまった。ダルビッシュの母親がそのことを告げ、建て換える費用を出したらどうだ、と打診。ダルビッシュは、その足で監督室に向かったという。一向に帰ってこなかったというダルビッシュだが、長い時間、思い出の詰まった、本当に羽曳野の子になれた監督室を眺めた後「あの（思い出の詰まった）監督室を建て換えることはできない。改修費やったらいくらでも出すから残してほしい」と言ったという。さまざまな葛藤を乗り越えさせてくれ、羽曳野の子にしてくれた、永遠に忘れられない場所、その雰囲気のある宝の詰まった箱をそう簡単には建て換えたくなかった。

「有の世代は、同級生も素晴らしい子ばっかりやったね。あの子をハーフの子やと思っていた奴はひとりもおらんかったし、有がもてはやされても文句ひとつ言わんかった。だからこそ有もオレは日本人やし、羽曳野の子や、と自然になっていったと思います」

もちろん、ボーイズの力だけでいまのダルビッシュが出来上がったわけではない。大阪府には強豪のボーイズのチームがひしめく。そういうチームと戦うことで本来持っている「負けず嫌い」の性格が、彼の野球の才能をさらに伸ばしていった。そう簡単には勝てない相手にどうすれば打たれないのか。ボーイズでは山田監督の方針で積極的に変化球を教えることはない。実際に「有に変化球を教えた記憶はないんです。その代わり、自分でいろいろと工夫して投げていたのは知っています」。この『変化球バイブル』でもお分かりのとおり、ダルビッシュの創意工夫をする習慣はこのころから始まった。すべては自分たちよりも強いチームに勝つために何が必要なのか。それを求め続ける姿はメジャーのマウンドに立つ現在でも変わらない。

「打者を打ち取りたい、抑えたいという。メジャーに行ってもその気持ちは変わっていない。いや当時以上に、負けないという感じが画面から伝わっていますよ」

緑の中で心身ともに鍛えられ野球人に

山田監督の方針で、ボーイズの公式試合には3年生しか出場しない。しっかりと体が出来上がった選手になって初めて試合に出す。そして同学年だけでチームを作り上げる。山田監督は現役時代ヒジを痛め、今でも右腕は真っすぐ伸びないという。そういう選手を一人でも減らしたいという思いで、子どもたちの成長に

「あの瞬間からですわ、有が本当に羽曳野の子になったんは。あれ以来、本当に練習もしっかり取り組むようになりました」

合った練習と、走り込みを課す。山田監督は元PL学園高の中村順司監督や、元南海の穴吹義雄氏と親交があり、彼らにさまざまなアドバイスを受け、どうしたらケガをしない体を作れるか、山田流にアレンジした練習メニューを作り上げていった。

当時のダルビッシュも同じであった。入ってきたときに体が大きかったこともあり、バランス感覚を良くするために、平均台の上でテニスのラケットを使用してのシャドーピッチングを毎日200回やらせた。親交のある元巨人投手の宮田征典氏からテニスのラケットでシャドーピッチングをするように勧められ、それを進化させてダルビッシュに課した。

後にも先にも平均台でのシャドーピッチングをやらせたのはダルビッシュだけだというが、そのおかげで内転筋が鍛えられ、今の強じんな体が出来上がっていく。3年生にもなると自らヒョイと登り、難なくシャドーをしていたという。そして3年生になり満を持して上ったマウンドで、多くのライバルの存在を知り……あくなき向上心が芽生え、その中で自分自身を切磋琢磨させたのだ。その心こそが「羽曳野の子」の存在なのだろう。

この羽曳野でのドキドキ感がプロ野球で得られなくなったからこそ、メジャーを目指したのだ。その流れは必然だったのかもしれない。そして、日本一の投手になり、世界を目指すための下地は、山田監督が持っていた心と人脈によって、強い体を持たされ、羽曳野という地域で人格を作り上げ、ライバルの存在により、さらなる成長をしていった。ひとつの出会いがさまざまな「縁」をもたらし、レンジャーズのダルビッシュ有を作り上げた。この「縁」が一つでも欠けていれば、いまの奇跡は起こらない。それは神様が与えた必然だった。

やまだ・あさお●1947年生まれ。愛媛県出身。1987年に全羽曳野ボーイズを立ち上げる。結成3年目から23年連続卒団生が甲子園に出場。92年春の全国大会でチームを準優勝に導く。卒団生にはダルビッシュ有のほか、元日本ハムの金森敬之や元ロッテの柳田将利らがいる。

監督室に座る山田監督。この場所でダルビッシュは叱られ、羽曳野の子となった。その記憶は永遠に忘れられない場所となっている

ent

part 6

この道の彼方に

ダルビッシュ有の頂はどこにあるのか——。
たどり着いてなお、さらなる高みを目指す、果てなき向上心を持つ。
活躍の場をアメリカに移して2年、日を追うごとに輝きを増す
右腕が紡ぐ伝説の道程。

Yu DARVISH
Human Docum

4度出場した甲子園では、3年春のノーヒットノーランなど、聖地に足跡を残した。最高成績は2年夏の準優勝

巣立ちのとき
勝負の場を求めて

到達しようとする高みは、どこにあるのだろう。ダルビッシュ有の進化の頂は、まだ見えてこない。27歳。若くして至極、当然のように今季、メジャーを代表する投手の1人として数えられるようになった。日米でまだプロ通算10年目。順調にステップアップし、誰も経験したことがないような境地に挑み続けている。そんな向上心の土台にあるのは、ストイックに突き詰める野球道への純粋な思いだ。

メジャー・リーグ挑戦を決断した2012年。誤解を恐れることなく、偽らざる素直な胸の内を明かしている。入札額を含めて米ドル換算では06年にレッドソックスに入団した松坂大輔を超えるポスティング史上最高額の総額100億円以上で、海を渡った。ベースボールの本場を志望した動機は、真っすぐだった。

「一番の要因は、僕は野球選手。仕事というのは（相手を）倒したいとか、強い相手にぶつかっていくこと。その中で相

2004年11月17日のドラフト会議で日本ハムから1巡目指名を受けた

2004年12月20日に行われた新入団発表。右端がダルビッシュ

Yu DARVISH
Human Document

手の選手から、う〜ん、なんていうのかな……。試合前から『もう無理』とか『打てない』とか、そういう話が冗談でも聞こえてきた。なんかフェア(な対戦)じゃないんじゃないかなと。求められているのは違う環境なんじゃないかな。メジャーなのかなと思った。僕はすごい勝負がしたかった」

成長のとき 見えてきた道筋

最高峰の舞台で躍動するまでの道のりは、平坦ではなかった。04年11月、北海道日本ハムファイターズからドラフト1巡目指名を受けた。今の姿を見れば意外だが、単独1位指名だった。他球団は、原石としての評価にも疑問符を付けるような存在。自身も少しだけ手探りだった。所信表明が、暗中模索のスタートだったことの証明だ。「言葉では言い表しにくい。ただ、こうなりたいというのはあります」。18歳のころ、まだ夢も、進む道も漠然としており、多くの障害とも向き合うことになる。05年1月の新人合同自主トレは右ヒザ関節炎で出遅れ。その年の沖縄・東風平で二軍スタートした春季キャンプでは不祥事を起こしてしまい、たった1人で二軍施設のある千葉・鎌ケ谷へ強制送還された。少し曖昧だった気持ちをリセットし、ゼロから再出発した。

「このままだと忘れられちゃいますから、やる。夏までには一軍に上がって札幌ドームのマウンドに立ちたい」

設定した目標をクリアし、破竹の勢いで日本球界のトップへと突き進んでいった。今では遠い昔に感じる05年6月15日の広島戦(札幌ドーム)。ダルビッシュがプロ初先発、初めて才能の一端を示すデビュー戦だった。初登板初完封の快挙達成の予感十分に、8回まで無失点の快

初の2ケタ12勝を挙げた06年、チームは日本一に。日本シリーズでは優勝を決めた第5戦で勝利投手となり、優秀選手賞を受賞

投。9回に2本塁打を浴びて2失点で途中降板、完投こそ逃したが、初勝利を挙げた。

当時はまだ球速は150キロには満たず、分類するのであれば、多彩な変化球を駆使する技巧派。それでも高い指先の感覚、技術と打者との駆け引きに天賦の才を見せつけるマウンドになった。「一番うれしい勝利でもあり、一番悔しい勝利」。そう複雑な本音を吐露したが、そのルーキーイヤーは試行錯誤しながら5勝5敗でフィニッシュ。若き右腕が紡ぐ伝説の出発点になった。

覚醒のとき
本格派への脱皮

エースの称号を確固たるものにしたのが、2年目以降の飛躍だった。06年。自身初の2ケタとなる12勝を挙げた。開幕当初は波もあったが、5月下旬から完璧に現在の原形となるスタイルを見つけた。5月30日以降から自身公式戦10連勝、シーズン終了まで負けなしで走り抜けた。25年ぶりのパ・リーグ制覇、そして44年ぶり日本一。シ烈な優勝争いの中で積み上げた白星だけに、その価値はさらに高まった。わずか5敗で、たった1人で貯金を7も量産した。アジアシリーズも制し、有終の1年になった。これまでになかったような手応え、充実感があった。

「日本一になれて、アジア一にもなって、最高のシーズン。シーズン序盤はなかなか勝てなくて、相当なプレッシャーもあった。正直なところ、苦しかった」

東北高時代にはあと1歩で届かなかった日本一の野望を、プロでかなえた。経験したことがないような感情、野球の妙味を知った。そんなかけがえのない経験が、また成長促進剤になった。

急激な進化への原点の1年だけに、濃

ルーキー年の6月15日、広島戦で一軍初登板初先発初勝利。9回途中まで2失点の好投だった

密な舞台裏をひも解く必要がある。開幕直後からは白星が伸びず、まだ波が大きかった。そんなときに、見つめ直し、開眼したのがコンディショニングの重要性だった。さらには恵まれた肉体を最大限パフォーマンスに生かそうという思考の転換。それまでは突出した器用さで知られる手、指先の感覚による技術でカバーしていたような一面があったが、周囲の助言に耳を傾けて意識を改革した。

ダルビッシュが生まれながらにして持つ強い探求心ともシンクロし、トレーニングに目覚める。現在もストイックに追い込み、高めている己の肉体と向き合うスタートラインが、このシーズン。資本である体を見直すことで技巧派から、本格派へと脱皮していく。呼応するように、おもしろいように成績も伸びていく。直球で勝負ができる快感に目覚め、進むべき道がはっきりと見えた。06年。大きなターニングポイントの1年になった。

確信のとき手にしたNO・1

翌07年に確信を深めた。求道者となったオフを乗り越え、迎えたプロ3年目だった。恩師の1人であるトレイ・ヒルマン監督は「若いが、彼にふさわしい。未来もある」と初の開幕投手に抜てき。完全無欠のエースとして15勝をマークして、防御率は驚異的な1・82。まだその時点では発展途上だったが、鍛え抜かれた肉体で自身初のシーズン200投球回も達成した。

11年オフにレンジャーズへの移籍が決定。札幌ドームで行った退団会見には1万人以上のファンが駆けつけた

本格派投手の最高の称号である沢村賞も獲得。打者を圧倒するような破壊力を持つ直球が効き、宝刀スライダーなど多彩な変化球も生きる。前年には周囲の評価は一部で割れていたが、日本ＮＯ・１投手との呼び声が出るほどに。ダルビッシュが「この年が一番、良かったかもしれない」などと一時は振り返るほど、一気に洗練された。ムダなく、効率性と機能美にあふれたフォーム。見る者を魅了して、放つ輝きに目を奪われる。ダルビッシュが土台を確固たるものにし、ステップアップしていく礎を築いた。21歳にしてパ・リーグＭＶＰも獲得。伝説の沢村栄治、稲尾和久に次ぐ年少記録での受賞という事実が、その確立された特別な立場を物語る。

　その年からの日本での5年間で刻んだ軌跡は、まさに破竹だった。多くを語るまでもないほど、誰も見たことがない頂へと駆け上がっていった。07年を皮切りに11年まで、5年連続防御率1点台。2リーグ制になってからは、先人たちがなし得なかった日本プロ野球では史上初の快挙だった。

「勝ち星というのは条件が重ならないと付かない場合もある。だからそんなに言うほど、気にしていないんですよ」

　運、不運以上に投手の価値に直結する項目の成績だけにこだわりを持ち、頑なにハイレベルを維持し続けた。09年にはワールド・ベースボール・クラシック（ＷＢＣ）に出場。先発、準決勝以降は抑えとしてもフル稼働して、2大会連続の世界一に貢献した。少しずつ、バックネット裏にはその評判を聞きつけたメジャーのスカウトたちが、登板時には集まるようになった。世界基準の逸材として脚光を浴びるようになり、気持ちも変化していく。

　プロ7年目を終えた11年シーズン。大きな決断をすることになる。ポスティングシステムを利用してのメジャー挑戦。一選手としての純粋な思いが、高みへと突き動かした。

15勝を挙げ、リーグ優勝に貢献した07年。
防御率1.82でMVP、沢村賞に輝いた

飛翔のとき 止まらない歩み

熟考を重ねに重ねた、11年12月。偽らざる思いを発信してきた自身の公式ブログで、方向性を明らかにした。

「このたび、ダルビッシュ有はポスティングシステムを利用する事を決めました。一番にファンの皆様へ伝えたかったのでここでの発表になりました」

一部のファンから非難の声が上がった。入団当初はメジャーに関心がないと公言していただけに、応援のメッセージだけではなく、世間の風当たりが厳しいときもあった。「時が経つにつれて自分の立場、周りの環境も変わります」。約1カ月後には、落札したレンジャーズ入りが決定。札幌ドームでたった1人で開いた退団会見では、次なる野望を表明した。メジャーで日本人選手の評価がやや低下していることも危惧しながら、その価値向上を目的の1つに挙げた。だが、やはり一番は野球を極めようという真っすぐな衝動だった。

「世界中の投手の中で誰もがNO・1は、ダルビッシュだと言ってもらえるような投手になりたい」

試行錯誤の挑戦が始まった。12年2月。

09年WBCでは先発、抑えに大車輪の活躍で日本代表のV2に貢献した

Yu DARVISH
Human Document

2012年からは大いなる野望を胸に活躍の場をアメリカへ移した

アメリカのアリゾナ州サプライズでレンジャーズのユニフォームをまとってキャンプイン。乾燥した気候、滑るボール、硬いマウンド……。日常生活では使い慣れない英語に、食事環境……。すべてが未知の世界だった。ただ、なぜか平常心でいられた。高い志があるから、少しだけ客観的に見ることができたのだろう。

「別に楽しみに来ているわけじゃないですし、そういう何か、周りが思うような気持ちで来ているわけじゃないので……。僕は普通に野球をしに来ているだけなんで。ただ普通に野球を楽しむ。それしか楽しみはないです」

そんな地に足が着いた注目の1年目から、難局を乗り切っていく。チームでは2番目の勝ち星となる16勝をマーク。松坂大輔の日本人メジャー・リーガーのシーズン最多勝利数記録（18）に次ぐ、16個の勝ち星を積み重ねた。ただ1つ足りなかったのは、地区優勝を逆転でさらわれ、新設されたワイルドカードプレーオフではマウンドを任されながら敗れた。3年連続のワールド・シリーズ進出を逃す、少し後味の悪さも残った。

Yu DARVISH Human Document

「気持ちとしたらマラソンを走れって言われて走って、30キロ地点で『さぁ、スパート』っていうところで止められたみたいな、そういう感じ」

貫いてきたエースの美学を吐露したところが、また武骨なダルビッシュらしさだった。そんな揺らぐことのない強い責任感、向上心があるから立ち止まることなく、前に進んできた。

適応できるかどうかを疑問視する一部の有識者の声を圧倒的な力で封印。本物であることを自力で証明をした。

そしてまた、もう一段上の進化も見せる。2年目の初登板となった13年シーズンの4月2日アストロズ戦（ヒューストン）では、9回二死まで完全試合の快投。あと一死で逃したが、本場のファンを熱狂させた。

「あそこまでいったらアウトを取りたいですよね。まだ完全試合を達成している投手に1歩足りない。でもいい思い出になった」

でも、いつかは……と誰にも予感させるほどの力強さを見せた。いつも有言実行の野球人生の第2章を、また豪快に切り開いていった。

心技体ともにレベルアップを続けている唯一無二の輝きを放つ才能は、これからどこへ向かうのか。既存の投手の枠を超え、野茂英雄とは違った、また新たなパイオニアとして世界のトップを突き進んでいこうとしている。すでに後世に名前を残すような躍進を見せている、ダルビッシュ有という存在。これからも新たな世界を、私たちに見せてくれるだろう。

12年、レンジャーズのキャンプでの1枚。連日多くのファンが集まった

13年シーズン初登板で9回二死までパーフェクトピッチングを披露。記録達成はならなかったが、とどまらない進化を証明した

1986年

8.16 誕生

1993年

大阪・羽曳野が丘小学校に入学

1994年

地元のブラックイーグルスで野球を始める

1999年

峰塚中学校に入学
全羽曳野ボーイズで全国8強、世界大会3位に輝く

2002年

宮城・東北高校に進学
春からベンチ入りし、秋から背番号1をつける

10.14	東北大会優勝。その後神宮大会でも4強入り

2003年

1.31	センバツ出場決定
3.26	浜名高戦に先発し、完投勝利（2対1）
8.1	夏の甲子園に出場決定（決勝5対4・仙台育英高）
8.23	4試合で自責点1と完璧な内容で決勝進出するも、茨城・常総学院高に2対4で敗れ、東北勢初優勝ならず
10.14	主将としてチームを引っ張り、東北大会連覇（3対1・東海大山形高）

2004年

3.26	センバツ1回戦の熊本工高戦で10年ぶり大会史上12人目のノーヒットノーラン達成
7.27	県大会決勝で利府高を20対2で下し、4季連続甲子園出場
8.17	2試合連続完封で迎えた3回戦。9回二死から追いつかれ、延長戦の末敗退（1対3・千葉経大付高）
11.17	日本ハムがドラフト1巡目で指名
12.17	高卒新人として、史上3人目の最高条件で仮契約

2005年

5.5	イースタンで中継ぎとしてプロ初登板（対インボイス）
6.15	広島戦（札幌ドーム）で9回途中まで2失点で抑え、プロ初先発初勝利。以後、先発ローテーションに定着
9.18	楽天戦（札幌ドーム）、2安打2四球でプロ初完封

2006年

6.6	阪神戦（札幌ドーム）でプロ入り初の2ケタ三振を完封で飾る
10.21	日本シリーズ初登板（対中日）
10.26	日本シリーズ制覇。優秀選手賞を受賞
11.12	アジアシリーズ優勝。MVP受賞

2007年

3.24	初の開幕投手（対ロッテ）
7.20	オールスター初出場、初先発
9.29	自身最多の15勝を挙げ、リーグ連覇
11.1	日本シリーズ連覇を逃すも、初戦の好投が評価されてシリーズ敢闘選手賞を受賞
11.20	初の沢村賞受賞

2008年

3.20	2年連続開幕投手（対ロッテ）を務め、1対0の完封勝利
7.31	2年連続でオールスターに先発
8.13	北京五輪開幕。エースとしての働きを期待されたが結果を出せず
9.2	帰国後初登板。8回を無失点で勝利投手。ここから5連勝（2完投）
10.11	優勝は逃すも、クライマックスシリーズで2戦2勝2完投1失点（自責点0）の好投

2009年

2.22	WBC日本代表に選出
3.5	WBC開幕戦に先発し4回を無安打に抑え勝利投手に
3.23	韓国を下し、WBC連覇。準決勝からストッパーに回り、胴上げ投手
4.3	パ・リーグ開幕。3年連続開幕投手を務める（対楽天）。完投するも3失点で負け投手に
6.24	交流戦、投手3部門で1位。日本生命賞を受賞
7.24	ファン投票、選手間投票ともに1位で、オールスターゲーム第1戦に先発
11.1	右手人さし指を疲労骨折した状態で日本シリーズ第2戦に先発し（対巨人）、6回7奪三振2失点で勝ち投手に
11.18	最優秀防御率、最高勝率のタイトルを獲得し、MVPとベストナインに輝く

2010年

3.20	4年連続開幕投手(対ソフトバンク)
4.17	対西武戦まで開幕から5試合連続2ケタ奪三振のプロ野球新記録
9.28	シーズン最終登板のオリックス戦で中継ぎ登板し、防御率1.78で最優秀防御率、222個で最多奪三振のタイトルを獲得

2011年

4.12	5年連続開幕投手（対西武）
6.8	中日戦で3試合連続完封勝利を挙げる
6.15	交流戦では5試合に先発し、43回で自責点は1。この間の防御率0.21
10.11	対西武戦が日本での最後の登板に。この年、28試合232回を投げ、18勝、防御率1.44、276奪三振はいずれも自己最高
12.8	ポスティングシステムを行使したことを、自身のブログで公表
12.20	テキサス・レンジャーズが交渉権を獲得

2012年

1.18	レンジャーズと契約合意。背番号は日本ハム時代と同じ「11」
1.24	札幌ドームにファンを集め、日本ハム退団会見を行う
4.9	メジャー初先発（対マリナーズ）。メジャー初勝利を挙げる
5.2	4月に5試合に先発し、リーグトップに並ぶ4勝を挙げ、防御率2.18が評価され、4月の月間最優秀新人に選ばれる
5.27	日米通算100勝を挙げる（対ブルージェイズ）
7.10	最終投票の末、オールスターのメンバーに選出される（出場はなし）
9.20	エンゼルス戦で16勝目
10.5	ワイルドカードゲームのオリオールズ戦に先発。6回1/3を3失点も1対5で敗れ、地区シリーズ進出を逃す

2013年

4.2	開幕2戦目のアストロズ戦で9回二死までパーフェクトピッチング。27人目の打者に中前打を許し、完全試合はならず
	ア・リーグ最多奪三振（277）のタイトル奪取

ダルビッシュ・ゆう●1986年8月16日生まれ。大阪府出身。196cm 100kg。右投右打。05年にドラフト1巡目で北海道日本ハム入団。入団1年目から5勝をマークし、一軍に定着。07年には15勝を挙げる活躍でMVPに加え、投手の最高の栄誉である沢村賞も獲得した。以後、日本球界を代表するスーパーエースとして君臨。第2回WBCでは日本代表の連覇にも大きく貢献した。11年シーズンは2リーグ分立後初となる5年連続防御率1点台の大記録も樹立。その年のオフに、ポスティングシステムでメジャー・リーグのテキサス・レンジャーズへ移籍。メジャー1年目から先発ローテの一角として16勝をマークする活躍を見せ、2年目は13勝を挙げ奪三振王に。チームに欠かせないスターターとしてまばゆい輝きを放っている。

巻末メッセージ

「変化球」を覚えたい、
すべての投手にこの本を捧ぐ——

投げることを楽しめば、
変化球は誰でも覚えられる。
どんなときも遊び心を
忘れないでください。

ダルビッシュ有
[テキサス・レンジャーズ]

ダルビッシュ有《ゆう》の変化球《へんかきゅう》バイブル
ハンディ版《ばん》

2014年3月20日　第1版第1刷発行
2024年9月30日　第1版第11刷発行

編　集　週刊ベースボール
監　修　ダルビッシュ有
発行人　池田哲雄
発行所　株式会社ベースボール・マガジン社
〒103-8482 東京都中央区日本橋浜町 2-61-9 TIE浜町ビル
電話　03-5643-3930（販売部）
03-5643-3885（出版部）
振替　00180-6-46620
https://www.bbm-japan.com/

印刷・製本　共同印刷株式会社

Printed in Japan
ISBN978-4-583-10642-7 C2075

※本書は「ダルビッシュ有の変化球バイブル アンコール（B.B.MOOK924）」（2013年5月発行）を再編集のうえハンディサイズに改めて発行したものです。